S0-AUM-561

남자들은 왜 여우 같은 여자를 좋아할까?

남자들은 왜 여우 같은 여자를 좋아할까?

셰리 아곱 지음 ● 노진선 옮김

출판의 名家 명진출판

프롤로그

그 남자의 속내 제대로 알고 있는가?

약속시간을 밥 먹듯 어기고, 그녀의 립스틱 색깔에 감각 운운하며 시비를 걸고, 며칠 동안 소식도 없이 잠적했다가 뜬금없이 연락하는 그 남자. 그리고 몇 번 만나지도 않은 그 남자의 소식을 기다리느라 하루 종일 아무것도 못하고 전화기 옆에서 손톱만 깨물고 있는 그 여자.

이 상황을 듣고 '바로 내 얘기'라며 무릎을 치는 여자가 한둘이 아닐 것이다. 많은 여자들이 남자 앞에서 지나치게 굽실거리거나, "Yes"를 연발하다 뒤통수를 얻어맞은 쓰라린 경험을 갖고 있다. 허구한 날 남자에게 '24시간 대기조'로 취급받는 것이 어떤 기분인지도 잘 안다. 이런 문제들은 기혼이든 미혼이든 간에 대부분의 여성들이 공통적으로 겪는 딜레마다.

왜 이런 일들이 벌어지는 걸까?

세상과 함께 남자들은 변하고 있지만, 정작 여자들은 언제까지나 사랑받는 바비인형으로 존재하고 싶어하기 때문이다.

남자들의 속내를 들어보자. 내가 인터뷰한 수백 명의 남자들 가운데 90%는 마치 꽁꽁 숨겨놓은 비밀이라도 들통난 양 킬킬거리면서, 자기들이 원하는 건 '도전'이라고 입을 모았다. 여기에 진실이 숨겨져 있다. 즉, 남자들은 눈 크고 착해빠진 바비인형이 아니라 약간 성깔 있고, 매달리지 않는 여자를 볼 때 도전욕구가 활활 타오른다는 것이다.

문제는 남자들이 이런 여자에게 호감을 느낀다는 사실을 절대로 여자친구나 아내, 혹은 여자 동료들에게 고백하지 않는다는 점이다. 이러한 진실은 그동안 줄곧 '여자는 곧 외모'라는 각종 미디어의 상술에 의해 더욱더 포장되고 가려져왔다. 심지어 여성을 위한다는 잡지까지 '남자들의 관심 끄는 법'이나, '축 처진 얼굴 때문에 폭탄세일 딱지가 붙기 전에 얼굴에 돈을 처발라야 된다'는 식의 외모 이데올로기를 퍼뜨린다. 그 결과, 여자들이 배우는 건 고작 주위 남자들에게 친절하고 섹시한 여자로 보이는 법뿐이다. 정작 중요한 진실은 언론 저편에서 꿈틀거리고 있는데 말이다. 바로 사랑이든 일이든 성공적인 관계에 필요한 것은 외모가 아닌 내면의 모습이라는 것.

이렇게 20대를 보낸 여자들의 사랑과 인생은 또다시 발밑에 낭떠러지를 두고 펼치는 아슬아슬한 공중곡예다.

그러나 여우들은 이런 진실을 이미 간파하고 삶에 능동적으로 '여우의 지혜'를 이용하기 때문에 관계 속에서 일어나는 갈등도 훨씬 적다. 이것이 바로 이 책이 필요한 절대적이고 근본적인 이유다.

남자와 더불어 경쟁해야 하는 일터에서, 그리고 사랑의 터전에서 추락하지 않고 자신의 행복을 완성하려면 여우의 지혜를 배우고 실천해야 한다. 그때 비로소 열흘 동안 전화 한 번 안 하는 애인, 내 말은 한 귀로 듣고 한 귀로 흘리는 게 당연하다는 듯 행동하는 남편, '여자는 어쩔 수 없다'며 대놓고 무시하는 상사 때문에 부들부들 떨며 가슴앓이를 해야 했던 마음의 지옥에서 벗어날 수 있다.

여기서 말하는 여우는 매사에 잔머리나 굴리는 앙큼한 여자가 아니다. 자기 실속만 차리거나 남자를 파멸시키는 악녀도 아니요, 같은 여자들에게 미움받는 내숭녀도 아니다. 그녀는 전형적인 외유내강파로 겉은 부드럽지만, 안에는 강철 같은 심지를 담고 있다. 또한 남자가 그녀를 100% 장악하도록 묵인하지 않으며, 무례한 남자와는 맞서 싸울 줄도 안다.

그녀는 여성스러울 뿐 아니라, 그 여성성의 힘을 자기 자신에게 유리한 방향으로 사용할 줄 안다. 그렇다고 해서 남자를 부당하게 이용하는 게 아니라, 어디까지나 페어플레이를 펼친다.

여우 같은 여자가 착해빠진 여자와 결정적으로 다른 점은 바로 마음의 중심이 잡혀 있어서 낭만적인 환상에 휩쓸리지 않는다는 것이다. 그렇기 때문에 다른 여자들이 자기 안의 마지막 한 방울까지 퍼주는 동안, 여우는 급수 밸브를 잠근다.

흔들리는 버스 같은 인생에서 영원한 종점을 찾아 헤매지만 매번 헛물만 켜고, 무심히 흐르는 세월에 제동을 걸고 싶어 안달하는 착해빠진 여자들이 이 책을 통해 '지혜로운 여우'로 거듭나길 기대한다.

차례

I

여우에 관한 고찰

여우에 대한 진실과 오해. 여우는 남자 앞에서 꼬리나 치는, 앙큼하고 꾀 많은 여자다? 그동안 우리 안에 새겨진 여우에 대한 부정적인 편견을 깨고, 친절하고 여성스러우며 언제나 스스로에게 당당한 그녀의 실체를 만나보자.

"섹시함이란 실제 당신이 갖고 있는 게 50%, 그리고
남들이 당신에게 있다고 생각하는 게 50%다."

소피아 로렌

우리 시대 필수 가치 '여우의 지혜'

장면 하나.

여기, 사랑에 늘 실패하는 여자가 있다. 그녀는 언제나 파트너에게 최선을 다한다. 그를 즐겁게 하기 위해 가기 싫은 축구장도 따라가고, 철따라 그의 먹을 것과 입을 것에 뭘 보충해야 할지 점검하며, 그를 위해서라면 온갖 궂은일도 마다 않는다. 그에게 너무나 헌신적인 그녀는, 게다가 외모도 훌륭하다. 적어도 겉보기에 그녀에게서 큰 문제는 발견할 수 없다. 그런데도 그녀는 번번이 사랑에 실패한다.

장면 둘.

언제나 예의 바르게 미소 짓는 그녀. 여성스럽고 다정다감한 성격으로 일명 '천사'라고 불린다. 누구든 그녀를 착하고 성실하며 남을 배려할 줄 아는 여성으로 기억한다. 그런데 요새 그녀는 남모르는 속병을 앓고 있다. 먼저 베풀면 그만큼 부메랑이 되어 돌아올 줄 알았는데 결과는 그렇지 않다. 친절하게 대하면 대할수록 주변 사람들이 오히려 만만하게 보는 것 같아 요즘 그녀는 괴롭다. 그렇다고 대놓고 불평도 못하고, 20여 년간 유지해온 온순한 성격도 갑자기 바꾸지 못한 채 속만 썩고 있다.

장면 셋.

올해 스물아홉 살의 그녀. 20대의 폭풍우를 뚫고 지나오는 동안 악바리처럼 일했지만, 사랑에는 언제나 자신이 없었다. 유능한 후배들이 차고 올라오는 정글에서 그동안 쌓아올린 공든 탑은 언제든 무너질 수 있는 모래성이고, 뒤도 안 돌아보고 질주하는 사이 그녀의 얼굴엔 잔주름이 하나둘 늘었다. 추억할 '놈' 하나 없이 20대를 흘려보낸다고 생각하니 그녀는 마음이 조급해진다. 그녀는 오늘도 값비싼 아이크림을 뭉텅뭉텅 바르고 소개팅에 열을 올리지만, 그녀의 머릿속에 그의 전화번호가 단단히 박힐 즈음이면 남자들은 모두 예외 없이 떠난다.

일에서든 사랑에서든 충만한 만족을 느껴보지 못한 이 시대 브리짓 존스들이 진지하게 털어놓는 대표적인 고민거리들이다. 어려서는 착하고 유순한 딸로, 직장인이 된 후에는 말 잘 듣고 시키는 일 잘하는 직장여성으로 존재하길 강요당하는 사이에 그녀에겐 착해빠졌거나, 건방지거나, 혹은 만만한 여자라는 딱지가 붙어버렸다. 일도 사랑도 결혼도 시도하다 만 반타작 수확뿐이지만, 정작 어느 누구도 이에 대해 똑 부러진 해답을 들려주지 않는다.

지금 이들에게 절실하게 필요한 것이 바로 '여우'의 지혜다.

이 대목에서 많은 여자들이 '여우처럼 영악하고 앙큼해지라고?' 하며 삐딱한 시선을 던질 게 분명하다. 그녀들을 위해 먼저 '여우' 하면 흔히 떠오르는 부정적 이미지의 허상을 깨는 작업부터 시작하겠다.

여우에 관한 진실, 혹은 오해

여우에 관한 첫 번째 오해,
여우는 남자들을 속이고 이용하는 약아빠진 존재다? 사실 무근이다. 남자들이 여우한테 속는 게 아니라, 여우의 당당함 앞에서 맥을 못 추는 것이다. 남자들은 별로 헌신적이지도 않고 때로는 쌀쌀맞아 보이기까지 하는 여자 앞에서 꼼짝 못하는 경향이 있다. 바로 여우 같은 여자 앞에서 말이다.

무엇이든 한쪽이 무거우면 기울게 마련이다. 줄다리기도 그렇고, 시소 게임도 그렇고, 애정 문제도 그렇다. 예를 들어 여자가 검은 잠옷을 입고 남자를 쫓아간다고 치자. 그는 일단 그녀와 섹스를 할 것이다. 그러고는 냅다 달아날 것이다. 대부분 그렇다.

왜 남자들은 이런 상황에서 줄행랑을 치는 걸까? 이유는 두 가지다. 첫째, 그에겐 그녀의 일방적 애정이 부담스럽다. 사랑을 받을 때는 행복했지만, 받은 만큼 돌려줄 일을 생각하니 아찔해지는 것이다. 특히 지나친 애정 공세에 휘둘린 남자라면 등골이 휘게 되어 있다.

둘째, 그녀의 태도에서 스스로를 하찮게 여기고 있다는 인상을 받기 때문이다. 그녀 스스로 자신을 쉽게 여기니 그도 그녀를 무시해도 된다고 생각하는 것이다. 반면에 자기 자신을 소중히 여기는 여우한테는 감히 대충 대할 엄두를 못 낸다.

품위냐 애인이냐, 여우는 당연히 품위를 선택한다

여우에 관한 두 번째 오해, 여우는 '엽기적인 그녀'처럼 사납게 으르렁대고 무례하며 버릇없는 여자다? 역시 사실 무근이다. 다만 여우는 언제 어디서나 싫으면 싫다, 좋으면 좋다고 확실하게 자기 의사를 표현함으로써 품위를 유지할 뿐이다. 이건 전혀 나쁜 일이 아니다. 그래야만 남자는 그녀를 존중해야 한다는 의무를 깨닫게 된다.

여우는 대단한 자긍심을 갖고 있으며 언제나 당당하다. 그녀는 자신이 올바른 결정을 내린다는 확신을 가지고 있다. 재미있는 것은 그녀가 일말의 두려움도 내보이지 않으면, 이번에는 남자 쪽에서 그녀를 잃지 않을까 두려워한다는 점이다. 마치 역자석처럼 남자에게 목매지 않으면 남자가 거꾸로 그녀에게 목을 매기 시작한다.

반면에 그를 위해서라면 기꺼이 치마를 입고 물구나무라도 서려는 여자를 보면 남자는 경외심보다 두려움이 앞선다. 심지어 여자를 충전용 배터리쯤으로 생각하고 '이 여자에게서 얼마나 많이 빼낼 수 있을까?' 하고 머리를 굴리는 남자도 있다. 이것이 사람 심리다.

상대에게 지나친 친절을 베풀거나, 그를 위해 너무 애쓰는 것은 자신의 품위만 떨어뜨릴 뿐이다. 그렇게 되면 당신에 대한 상대의 호감에 치명타가 가해지고, 둘의 관계가 끝나는 것은 시간문제다.

박사학위를 갖고 있거나 지적인 여자들은 정치적인 논쟁에서 자기주장을 펼치고, 시사에 대해 줄줄 늘어놓음으로써 남자에게 정신적인 자극을 줄 수 있을 거라 생각한다. 그러나 남자들이 느끼는 도전욕구는 그런 지적인 대화와는 상관이 없다. 여기서 말하는 도전욕구는 당신이 상대로부터 존중받기를 기대하는지 안 하는지, 당신이 남자와 어떤 관계를 맺는지와 관계가 있다.

여자가 남자에게 매달릴 때 남자는 곧 자신이 그녀를 100% 장악했다는 걸 알게 된다. 여자들의 불만이 터져나오기 시작하는 것도 바로 이 시점이다.

"그가 자주 만나주지 않아요. 연애 감정도 예전 같지 않고요."

반면에 여우는 남자와 사귀는 동안에도 품위를 잃지 않는다. 친구들과 소원해지지도 않으며, 자기계발이나 취미를 포기하지도 않는다. 또한 자신의 시간을 그에게 몽땅 바치거나, 잘 보이려고 무리하지도 않는다.

언제 어디서든 당신 자신이 가장 아름답다

셋째, 여우는 겉과 속이 다른 내숭 100단이다? 어불성설이다. 다만 관계의 균형을 유지하기 위해 자기의 속내를 다 드러내지 않을 뿐이다.

여우는 아무리 매력적인 여자가 옆에 있어도 절대 기죽은 티를 내지 않는다. 기죽은 티를 내는 것은 옆에 있는 60점짜리 여자를 120점으로 만드는 길이다. 하지만 그녀의 존재 자체를 무시하면 남자는 여자의 자신감에 끌리게 되고, 갑자기 그의 눈에 다른 여자는 전혀 들어오지 않는다.

사만다는 첫 데이트 때 파트너를 따라 권투 경기장에 갔다. 1라운드가 끝나자 늘 그렇듯이 아슬아슬한 미니스커트 차림의 라운드 걸이 숫자판을 들고 링 안을 돌았다. 그때 라운드 걸을 따라 돌던 남자의 시선이 순간적으로 사만다에게 향했다. 남자의 눈빛에서 찔리는 감정을 느꼈지만 사만다는 아무 일 없었다는 듯 그에게 미소로 화답했다.

2라운드가 끝나자 이번에는 가슴팍이 훤히 들여다보이는 옷을 입은 라운드 걸이 등장했다. 그때도 사만다는 편안한 목소리로 그가 들고 있는 음료수 좀 마실 수 있냐고 물었다. 그는 "물론이죠"라고 대답했다. 사만다는 털끝만큼도 기가 죽지 않았다. 대신 아예 다른 여자 따위는 존재하지도 않는다는 듯 차분한 태도를 유지했다.

3라운드가 끝나자 남자는 더 이상 사각의 링을 돌아다니는 라운드 걸을 바라보지 않았다. 대신 사만다에게 푹 빠져서 집으로 바래다주는 내내 그녀가 얼마나 아름다운지 떠들어댔다.

먼저 여왕임을 선언하라. 그가 당신을 섬길 것이다

넷째, 여우는 집에 틀어박혀 '남자를 사로잡는' 기술이나 죽어라 갈고닦는다? 역시 아니다. 처음 사귀는 단계에서 여우들이 중점을 두는 부분은 오로지 함께 있을 때 즐거운 상대가 되는 것이다. 그가 애인이 될 만한 자격을 얻기 전까지는 그 정도면 충분하고도 남는다.

처음 사귈 때는 특히 다음 사항에 신경 써야 한다. 연애하는 동안 손가락 하나 까딱하지 않는 남자라면 평생 여자를 고생시킬 게 틀림없다. 상대가 그런 행동을 하는 것은 파트너로서의 의무를 소홀히 하는 것이며, 이는 여자가 그에게 어떻게 보였는지와 관계

"난 당신에게 부족한 여자예요." = 착해빠진 여자	"나 정도면 충분해. 싫으면 말구." = 여우
그와의 만남을 위해 24시간 대기 중이다.	형편이 될 때만 그를 만난다.
상대를 충분히 알기도 전에 어떻게든 연인 관계를 만드는 것이 자신의 목표임을 노골적으로 드러낸다.	그와 만나 즐거운 시간을 보낼 뿐 어떤 약속도 요구하지 않는다.
그가 전화하면 왜 좀더 일찍 전화하지 않았냐고 화를 낸다.	그는 그녀가 어디에 있는지, 왜 전화를 받지 않는지 궁금해한다.
남자 대신 곧잘 그녀가 운전한다.	그는 그녀를 데리러 가는 일을 조금도 귀찮아하지 않는다.
"우리 관계가 어떻게 되어가는 거죠?" 라고 자주 묻는다.	그녀가 관계를 규정짓지 않기 때문에 그는 앞으로 어떻게 될지 갈피를 잡을 수 없다.
그의 아기를 갖고 싶다고 얘기한다.	그녀는 그의 성(姓)이 뭔지 잘 모른다.
그가 전에 사귀던 여자들에 대해 물어본다.	그가 예전 여자친구에 관한 얘기를 꺼내면 그녀는 지루해하며 시계를 본다.

가 있다. 여자가 한사코 손사래를 치면 아무리 베풀 게 많은 남자라도 물러서는 수밖에 없다. 남자의 호의에 과잉 보답하는 그녀의 태도는 이렇게 말하는 거나 다름없다.

"내가 아무리 노력해도 하늘 같은 당신의 은혜를 다 갚을 수 없어요. 난 당신에게 부족한 여자거든요."

여우는 그와 전혀 다른 메시지를 보낸다.

"나 정도면 충분해. 싫으면 말구."

여자가 하녀처럼 행동하면, 남자도 그녀를 하녀 취급한다

다섯째, 여우는 예쁘지도 않으면서 잘난 척한다? 근거 없는 낭설이다. 여우는 다만 언제 어디서나 자기 자신이 중요하다는 걸 기준으로 행동할 뿐이다.

여우는 자신은 물론 다른 사람에게도 다음과 같이 최면을 건다. '이게 나야. 난 너무 근사해. 이보다 더 멋질 순 없지.'

이런 그녀의 자신감을 노골적으로 싫어하는 사람이 있다면 그건 그 사람의 문제다. 언제나 다른 사람보다 그녀 자신이 중요하기 때문이다.

여우는 절대 남자 앞에서 자기 자신을 비하하지 않는다. 데이트 중에 자기 약점을 미리 고백하거나, 성형하고 싶다든가 살을 빼고 싶다는 말도 절대 하지 않는다. 그녀는 있는 그대로의 자신을 사랑한다.

자기 앞의 여자가 전혀 매달리는 기색 없이 당당하게 나오면, 그녀의 사랑을 얻고야 말겠다는 그의 도전욕구에 발동이 걸린다. 관계에 소극적이었던 남자가 갑자기 그녀의 광신도가 되는 것이다. 이제 그는 여왕이 자기를 위해 식사를 준비하고, 양말을 빨고, 자기를 쫓아다니는 환상을 꿈꾸기 시작한다.

남자가 어떤 여자를 여왕이라고 생각할 때 그건 외모와는 전혀 상관없다는 사실을 여자들은 알아야 한다. 여자가 여왕처럼 행동하면 남자의 눈에 초특급 슈퍼 울트라 콩깍지가 씌는 것이다.

마찬가지로 곁에 있는 남자가 당신을 쫓아다니는 건 외모가 아니라 당신 자체에 매력을 느끼기 때문이다. 신비로운 분위기와 자신감 넘치는 태도는 남자에게 그녀가 진짜 퀸카라는 확신을 준다.

지금 옆에 있는 남자의 첫사랑을 사진으로 만나보자. 그녀는 당연히 클레오파트라처럼 생겼을 거라고 상상해왔다면, 이제 진실과 마주할 차례다. 막상 그녀의 사진을 보게 되면 말문이 막히고, "자기야, 이 여자는 헐크처럼 생겼잖아"라는 말이 목구멍까지 튀어나올 것이다. 하지만 그럴 필요 없다. 그는 얼른 자신의 첫사랑을 변호한다. "실물이 훨씬 나아."

안 먹히면? 다시 시도한다.

"그땐 훨씬 더 예뻤어. 사진이 잘못 나온 거야."

아름다움은 지극히 주관적인 가치다. 한 남자에게 '추녀'로 보이는 여자가 다른 남자에게는 최고의 '미녀'일 수 있다. 무엇보다도 외모가 문제시되는 건 첫 데이트 때뿐이다. 서로가 사랑에 빠진 후에는 스스로를 대하는 마음가짐과 태도가 가장 중요하다.

남자들은 여자의 사랑을 확인하기 위해 일부러 며칠씩 연락을 끊는다

여섯째, 여우는 사랑도 게임처럼 한다? 어떤 면에서는 맞는 말이지만, 이 역시 오해의 소지가 다분하다. 여우의 이런 행동은 남자를 골탕 먹이기 위해서가 아니라, 행복한 관계를 만들어가기 위한 일종의 자기방어다.

관계의 기초는 첫 데이트에서 결정된다. 처음 만날 때부터 남자는 자신의 활동범위가 어디까지이고, 그 안에서 얼마나 농땡이를 칠 수 있는지 알아내려고 한다. 전화 에티켓으로도 많은 것을 알 수 있다. 그의 전화를 한참이나 기다렸다가 다른 약속을 정하거나, 그가 전화하지 않는다고 안절부절못한다면 여자 스스로 그에게 주권을 이양했음을 인정하는 셈이 된다.

남자들은 가끔 여자가 어떻게 반응하는지 보려고 뒤로 물러선다. 그럴 때 감정적인 반응을 보이면, 그는 그녀를 손아귀에 넣었다고 판단한다. 그런 일이 자주 일어날수록 그녀에 대한 그의 욕구는 시들어간다. 그녀가 어떻게 나올지 짐작할 수 없을 때에만 여자는 계속해서 그의 도전 대상으로서 가치가 있는 것이다.

이것은 또한 그가 절대적으로 필요로 하는 것, 즉 숨쉴 자유를 주기도 한다. 그에게서 연락이 뜸할 때 여우는 "그동안 왜 전화 안 했어요?"라든가 "왜 일주일이나 연락이 끊긴 거죠?"라며 불만을 터뜨리는 대신, 그동안 즐겁게 보내느라 전화하지 않은 줄도 몰랐다는 듯 행동한다. 그러면 그는 잽싸게 그녀의 곁으로 돌아온다.

여우는 복숭아처럼 부드럽지만 속에 딱딱한 씨를 숨기고 있다

불어로 '쥬누세꽈아 Je ne sais quoi'는 '형언하기 어려운 것'이라는 뜻으로, 딱 꼬집어 말할 수 없는 '특별한 매력'이라는 의미를 담고 있다. 이런 매력을 가진 여자는 언제나 자기 자신에게 만족하며, 어떤 상황에서도 흔들리지 않는 자기만의 신념을 갖고 있다.

이건 외모의 문제가 아니다. 미모의 여자들도 매일 어디선가 차인다. 지성의 문제도 아니다. 기막히게 똑똑한 여자든 두 자리

IQ를 가진 여자든 차이기는 마찬가지다. 중요한 것은 신비로운 분위기를 간직하는 비결을 배우는 것이다.

여자의 성깔이 사라질 때 관계의 불꽃은 사그라진다. 그는 성냥이고, 당신은 성냥갑 옆에 붙은 인화 판이라고 생각해보자. 인화 판의 까칠한 면이 닳아 밋밋해지면 성냥에 불을 붙이기가 힘들다. 예를 들어, 남자가 "좀 생각해볼 시간이 필요해"라고 말했을 때 착해빠진 여자들은 "제발 날 떠나지 마"라고 나온다. 하지만 여우는 자진해서 그의 짐 꾸리기를 도와준다. 왜 그럴까?(A, B, C 가운데 고르시오.)

A. 다른 사람 돕는 걸 좋아한다.

B. 그가 짐을 꾸릴 줄 모른다.

C. 그녀는 자신을 사랑한다.

정답은 C. 여우는 자기 자신을 사랑하기 때문에 자기를 싫어하는 남자의 발목을 잡고 매달리는 일은 하지 않는다. 그녀가 성깔을 유지하는 걸 알면 남자는 떠나고픈 마음이 사라진다. 그녀에게서는 '당신 없다고 죽고 못 사는 것도 아니야' 라는 분위기가 풍긴다. 운전대는 그녀의 손에 쥐어져 있으며, 그녀는 조금도 힘들지 않게 운전한다. 바로 그런 여유로움이 남자의 눈에 매력적으로 비친다.

'쥬누세꽈아' 는 섹시한 태연자약함이다. 여우는 남자에게 매달리기는커녕 종종 그를 무시하기까지 한다. 당신이 전화를 받느라 옆에 있는 남자를 무시했을 때 그가 느닷없이 당신 목에 키스를 퍼부으며 관심을 끌려고 한 적이 있는가? 그를 무시하면 그는 당신에게 매료된다. 반대로 그를 당신 인생의 중심에 두는 순간, 그는 달아난다.

홀랑 벗은 몸보다 언뜻 비치는 속살이 더 섹시하다

성적 매력을 모조리 드러내는 것은 남자를 유혹하는 데 별로 효과적이지 못하다.

남자들은 완벽한 것보다 2% 부족할 때 매력을 느낀다. 예쁜 비서가 머리를 단정히 틀어 올린 채 대낮에 사무실에 앉아 있는 것을 보면 남자는 그녀가 머리를 풀었을 때 어떤 모습일지 궁금해지기 시작한다. 스웨터 뒤에서 은근슬쩍 움직이는 가슴의 윤곽이, 대놓고 가슴을 드러내는 것보다 훨씬 더 남자의 욕망을 자극한다. 너무 노골적이지 않게 몸매를 드러내면 '반쯤 끈이 풀린 선물' 처럼 보고 싶은 마음이 더 커지게 마련이다.

남자들은 섹시한 옷차림의 여자를 보면 "저런 여자라면 침대에서 과자 부스러기를 흘려도 쫓아내지 않을 거야"라는 말을 종종 한다. 그건 사실이다. 적어도 목적을 달성하기 전까지는. 그후에는 그녀가 과자를 먹든 안 먹든 남자는 떠난다. 남자의 관심을 끄는 것은 어렵지 않다. 문제는 관계를 유지하는 것이다. 무엇보다 자신을 어떻게 대하는가가 중요하다. 과잉 보답은 어디까지나 과잉 보답이다. 여기에는 남자한테 너무 자주 전화하는 것부터 지나치게 섹시한 옷차림까지 포함된다. 다음 속담을 기억하라.

'두 배로 밝게 빛나는 초는 두 배로 빨리 녹아 없어진다.'

하지만 심야 데이트에 야한 옷을 입고 나가는 것은 별개의 문제다. 그 경우, 남자는 그녀가 자신을 위해 그런 옷차림을 했다는 사실을 알기 때문에 일종의 보너스로 여긴다. 남자들이 낮에는 요조숙녀, 밤에는 요부를 원한다고 말하는 것도 이 때문이다. 그의 관심을 계속 잡아끄는 것은 바로 그녀가 아직 보여주지 않는 부분에 있다.

TV 광고를 길잡이로 삼아서는 안 된다. 남자의 관심을 식지 않게 하는 여우들은 미니스커트나 가슴이 푹 파인 검은 드레스로 자신감을 느끼는 부류가 아니다. 그녀가 자신감을 갖기 위해 의존하는 것은 오직 자신의 여성적 매력이다.

흔히 착해빠진 여자들은 이렇게 말한다.

"있는 그대로의 날 받아들여야 해요!"

받아들인다고?! 천만의 말씀. 언니들, 거기다 꿀밤 한 대. 남자들은 여자를 미친 듯이 원해야 한다. 받아들이는 것과 원하는 건 전혀 다르다. 남자들은 하녀를 받아들이겠지만, 그들이 원하는 건 여왕이다.

우리는 지금 남자들이 갈구하는 것에 대해 말하고 있다. 그것은 그들이 꼬맹이일 때부터 시작되었다. 사달라고 하지도 않았던 장난감을 크리스마스 선물로 받았을 때 남자아이들은 딱 5분간만 그 장난감을 가지고 논다. 반면 아이가 가장 아끼는 건 두 달치 용돈을 모아서 자신이 직접 산 장난감이다. 꼬마는 손도 닿지 않는 선반에 놓인 그 장난감을 보려고 매번 가게에 들른다. 그리고 장난감을 갖기 위해 매일 아침 동이 틀 때마다 신문을 돌린다. 그가 늘 기억하는 건 힘들게 구한 바로 그 장난감이다.

여자의 마음	남자의 마음
난 있는 힘껏 열심히 노력하고 있어.	너무 무리하는군. 아주 필사적이야.
사랑은 게임이 아니야.	말이 너무 많아.
난 남자를 잘 보살펴.	마치 엄마 같잖아.
난 100% 헌신하고 있어. 그러니 꼭 성공할 거야.	정말 착한 여자야. 하지만 불꽃이 일지 않는단 말이야.

과잉 공급은 애정 하락으로 이어진다

캐나다의 대표적인 작가 마거릿 애트우드는 "두려움은 사랑처럼 냄새가 난다"고 했다. 남자가 당신과 헤어지는 것을 약간 두려워할 때 그의 사랑은 더욱 뜨거워진다.

남자의 영혼은 화초와 같다. 화초는 물을 필요로 하지만, 동시에 숨쉴 공기도 필요하다. 만난 지 얼마 되지 않은 남자에게 너무 많은 확신을 주는 것은 화초에 물을 많이 주는 것과 마찬가지다. 너무 많은 물은 그의 영혼을 죽여버린다. 여자들이 특히 과잉 보답하는 것 가운데 하나가 요리다.

'남자의 사랑은 포만감에서 나온다'는 말이 있다. 그건 사실이지만, 남자에게 먹이려고 매일 여섯 시간씩 하녀처럼 요리를 할 필요는 없다. 외식을 하든, 음식을 배달시키든 배부르긴 마찬가지다. 실전에서 얻은 법칙 한 가지, 음식이 따뜻하기만 하면 남자는 뭐든 먹는다. 그 외의 노력은 전부 시간 낭비다.

그렇다고 해서 아예 요리를 해주지 말라는 뜻은 아니다. 만난 지 1년 된 기념일이나 그의 생일에 특별한 요리를 하는 건 당연하다. 하지만 관계가 막 시작될 무렵부터 재깍 그런 대접을 해주는 것은 파국으로 치닫는 지름길이다.

데이트 초반에는 팝콘 아 라 카르테(팝콘)나, 구르메 델리케이트 디핑스(비엔나소시지) 정도의 요리가 적당하다. 중요한 것은 요리 이름을 간편하게 팝콘이나 비엔나소시지라 부르지 말고 제대로 된 명칭을 쓰는 것이다.

식사 후 그에게서 다음번엔 꼭 외식하자는 말이 나왔다면, 식사 접대는 성공한 셈이다. 두 번 다시 그는 저녁 메뉴가 뭐냐고 묻지 않을 것이다. 어느 정도 시간이 흐른 뒤에 그가 또 요리를 해달고 하면 다시 이 특별요리를 선보이면 된다.

행복한 여자, 그녀의 이름은 '여우'

다시 한 번 말하지만 여자들은 여우 같은 여자에 대한 편견을 버려야 한다. 여우도 분명 착하다. 잘 익은 복숭아처럼 달콤하며 여성스럽다. 다만 매사를 결정할 때 남자를 잃는 것에 대한 두려움을 기준으로 삼지 않을 뿐이다. 여우는 자기 자신을 포기하고 싶지 않기 때문에 좀더 약삭빠르게 행동한다.

다음은 여우를 정의하는 열 가지 특징이다.

1. 그녀는 독립심을 유지한다.

잘 나가는 회사의 CEO든 패밀리 레스토랑의 웨이트리스든 상관없다. 그녀는 정직하게 번 돈으로 생활한다. 그녀에겐 품위가 있기 때문에 남자에게 손을 벌리지 않는다.

2. 그녀는 남자를 쫓아다니지 않는다.

태양과 달과 별이 그를 중심으로 돌지 않는다. 천궁도 상에서 그의 거대한 수성이 그녀의 작은 금성에 역행할 때는 그를 무시한다. 그녀는 그를 쫓아다니거나 감시하지 않는다.

3. 그녀는 신비롭다.

상대에게 정직한 것과 자신을 완전히 까발리는 것은 분명 다르다. 그녀는 정직하지만 모든 것을 내보이진 않는다. 지나치게 허물없이 굴면 무시당하고, 늘 똑같이 행동하면 권태로움이 싹튼다.

4. 그녀는 그가 2% 부족함을 느끼게 내버려둔다.

그녀는 매일 그와 만나거나 그의 휴대폰에 긴 메시지를 남기지 않는다. 남자들은 허전함을 채우고 싶은 갈망을 사랑과 동일시한다. 갈망하는 것은 좋은 것이다.

5. 그녀는 흥분한 모습을 보이지 않는다.

그녀는 대화가 거칠어지면 중단하고, 화가 난 상태에서는 대화를 피한다. 머리가 맑을 때 간결하게 '요점' 만 말한다.

6. 그녀는 자기 시간을 스스로 통제한다.

그녀는 자신만의 리듬을 따르며, 그가 자신을 통제하도록 내버려두지 않는다.

7. 그녀는 유머감각을 유지한다.

유머감각은 그녀의 초연함을 보여준다. 그러나 무시당했을 때는 결코 웃어넘기지 않는다.

8. 그녀는 스스로를 높이 평가한다.

그가 칭찬해주면 애써 부인하지 않고 고맙다고 말한다. 그녀는 그의 예전 여자친구가 어떻게 생겼는지 묻지 않으며, 다른 어떤 여자와도 자신을 비교하지 않는다.

9. 그녀는 남자 외의 다른 일에도 열정적이다.

남자는 자신이 그 여자의 '전부' 가 아니라고 느낄 때 그녀를 더 원하게 된다. 여우들은 바쁘게 생활하기 때문에 그가 늘 곁에 있어주지 않아도 화내지 않는다. 그는 그녀의 머릿속을 독점하긴

커녕, 그저 손가락 한 마디 만한 공간을 차지하고 있을 뿐이다.

10. 그녀는 남자가 싫어하는 빨간 립스틱도 기꺼이 바른다.

그녀는 외모와 건강을 가꾼다. 한 사람의 자존감은 자신의 외모를 어떻게 다루는지에 반영된다. 그녀는 남자친구가 빨간 립스틱이 싫다고 해도, 발라서 기분 좋다면 기꺼이 바른다.

2

남자들은 정말 여우 같은 여자를 좋아할까?

그 남자의 실체. 남자란 종족은 죽을 때까지 먹잇감을 쫓고 위험을 무릅쓴 채 산을 오르는 사냥꾼이다. 그만큼 탄탄대로보다 도전욕이 한껏 고취되는 비탈길을 사랑하며, 언제나 그 자리에 있는 '엄마' 보다 잡힐 듯 잡히지 않는 여우에게 더 끌린다.

"행복? 좋은 시가와 맛있는 음식, 그리고 좋거나 혹은
나쁜 여자. 그건 당신이 얼마만큼의 행복을
감당할 수 있느냐에 달렸지."

조지 번스

수동기어와 물소에 열광하는 남자들

남자들은 쫓아다닐 때의 스릴감을 끔찍이 좋아한다. 그래서 자동차 경주를 좋아하며, 스포츠와 사냥을 즐긴다. 그들은 또한 어려운 일에 도전해서 성과를 올렸을 때 삶의 희열을 느낀다. 그래서 수동기어로 된 자동차를 운전하는 걸 즐기며, 비행기에서 뛰어내리거나 산을 오르는 것을 좋아한다.

실제로 남자들은 여자들이 질색하는 밀고 당기기 게임을 매우 흥미진진해한다. 이것이 바로 남자와 여자의 근본적인 차이다. 어떤 여자들에게는 연애의 목표가 서로에게 헌신적인 관계이며, 그게 곧 종착역이기도 하다. 그러나 남자들은 종착역까지 가는 과정 자체를 무엇보다 즐긴다.

여우들은 남자가 원하는 것을 손에 넣었을 때보다, 그걸 갖기 위해 노력하는 과정에서 더욱 강한 만족을 느낀다는 사실을 알고 있다. 여간해서 손에 잡히지 않을수록 남자의 관심은 온통 그 목표물에 사로잡히며, 그것을 손에 넣는 최후의 순간을 상상하며 행복해한다. 그러나 착해빠진 여자들은 이 과정에 찬물을 끼얹는다. 그러면 뭔가 얻기 위해 충분히 노력하지 않은 남자들은 쉽게 지겨워진다.

공짜를 소중히 여기는 사람은 없다. 여자가 잘 만나주지 않을 때 그는 더 큰 갈망을 느낀다. 반대로 남자의 모든 요구에 기다렸다는 듯 "Yes!"를 외치는 여자는 남자의 눈에 그다지 매력적으로 비치지 않는다.

이것은 마치 도박과 같다. 첫판에 크게 따면 그날은 더 이상 도박을 하지 않지만 조금씩 따게 되면 상황은 달라진다. 조금 땄다가 두세 번 잃고 나면, 그는 막무가내로 도박에 매달린다. 이제 곧 대박이 터질 것 같기 때문이다. 그 승리감이 손에 잡힐 듯하면 선천적인 경쟁 심리가 발동해 자리를 뜨지 못하고 계속 돈을 건다. 그러다가 한 번 지고, 두 번 지게 되면 더 열심히 매달린다.

남자들은 뭔가 얻기 직전의 기대감을 열렬히 사랑한다

또 다른 예는 남자들이 즐겨 떠나는 사냥 여행에서 볼 수 있다. 그들은 손바닥만한 슬리핑백에서 잠자고, 밤새 모기에게 물어뜯기면서 일주일간 꼬박 숲 속에서 지낸다. 그들이 먹는 음식은 김빠진 콜라, 눅눅해진 비스킷이 전부다. 그러다가 물소라도 한 마리 잡게 되면 한껏 으스대며 집으로 돌아와서 물소 머리를 전리품처럼 거실 벽에 걸고 싶어한다.

이것은 매우 중요한 진리다. 아예 죽은 물소를 그의 집 앞에 놓아둔다면 그는 전혀 좋아하지 않을 것이다. 설사 자신이 쫓던 바로 그 물소라 해도 그가 느끼는 감정은 완전히 다르다. 그녀에 대한 관심도 이와 마찬가지다. 여자가 남자를 쫓아다니는 것은 그의 집 앞에 죽은 물소를 갖다놓는 것과 똑같다.

여우는 절대 그가 자신을 정복했다고 느낄 틈을 주지 않는다. 그녀를 완전히 정복할 수 없기에 남자는 계속 그녀를 쫓아다닌다. 다음은 상황별로 착해빠진 여자와 여우의 행동 차이를 비교한 것이다.

[시나리오 1] **그는 그녀가 집에 있을 거라 생각하고 그녀의 집으로 전화한다.**

- 착해빠진 여자는 외출하기 전에 그에게 전화해서 행선지와 귀가 시간을 착실히 보고하고, 그가 연락할 때를 대비해 늘 휴대폰을 켜둔다.
- 여우 같은 여자는 자신의 행방을 일일이 보고하지 않고, 연락이 안 되더라도 그가 궁금해하도록 내버려둔다.

[시나리오 2] **그가 퇴근 후에 전화하겠다고 말한다. 약속 시간으로부터 네 시간이 지난 후에야 전화가 온다.**

- 착해빠진 여자는 그에게 소리를 지르며 걱정했다고 말한다. "진작 전화했어야지!"
- 여우는 쉽게 화내지 않기 때문에 그는 그녀의 진심을 읽기가 어렵다. 그녀가 전화를 받지 않을 수도 있다. 그럴 경우, 그는 그녀가 보고 싶어진다.

[시나리오 3] **그는 약간 침울하고, 딴 생각을 하는 것처럼 보이며, 말수가 줄어든다.**

- 착해빠진 여자는 속내를 캐내려고 계속해서 "무슨 생각해?"라고 묻는다. 그녀는 그와 멀어질까 두렵다.
- 여우는 자기만의 생각에 잠겨 있다. 그녀가 겁을 먹지 않으므로 오히려 그가 그녀에게 다가간다.

[시나리오 4] 약속 시간이 훨씬 지났는데도 그가 나타나지 않는다.

- 착해빠진 여자는 계속 기다린다. 그리고 그의 휴대폰에 네 번이나 전화해 자신을 좀더 '존중해달라고' 말한다.
- 여우는 30분만 기다린 뒤 다른 약속을 잡는다.

두 여자의 차이는 남자를 다루는 방법이 아니라, 자기 자신을 다루는 방법에 있다. 여우는 남자의 편의를 봐주기 위해 자기 인생을 내팽개치지 않겠다는 걸 말이 아닌 행동으로 보여준다.

다음 질문을 통해 자신이 너무 착해빠진 여자인지 아닌지 알아보자.

1. "아니오"라고 말할 때 죄책감을 느끼는가? 혹은 "아니오"라고 말해놓고 후회하는가?
2. 파트너에게 종종 자신을 존중해달라고 말하는가?
3. 자신이 원하거나 필요로 하는 것을 포기하거나 협상하는가?
4. 그의 요구를 들어주기 위해 종종 잠도 자지 않고, 여가 시간도 포기하는가?
5. 약속을 잡을 때 당신이 늘 그의 형편에 맞추는가?
6. 한 번 했던 부탁을 반복한 적이 있는가? 마치 그가 듣지 못했다는 듯이?
7. 싸운 후에 늘 당신이 먼저 연락하거나 사과하는가?

8. 그가 당신을 사랑하는 것보다 당신이 훨씬 더 많이 그를 사랑하는가?
9. 그와 헤어진 후에 종종 기진맥진한 기분이 드는가?
10. 당신에 대한 그의 관심과 애정을 항상 확인하고 싶은가?

위의 열 문항 가운데 '예' 라는 대답이 다섯 개 이상 나왔다면 받는 것보다 주는 것이 훨씬 많은 착해빠진 여자다. 그렇다면 자기 자신을 포기하는 것이 왜 손해일까?

그를 사랑한다면 더 열심히 자기 자신을 챙겨라

여우들은 일과 놀이 사이의 균형을 잡을 줄 안다. 가족과 보내야 할 시간과 친구와 보내야 할 시간 사이에서도 균형을 잡는다. 또한 직장 일과 새로운 것을 배우는 시간도 균형을 이루도록 신경 쓴다. 여우에게는 남자도 그저 생활의 한 부분일 뿐이다.

하지만 어떤 여자들은 이런 균형감각을 모조리 팽개치고, 즉시 남자를 생활의 전부로 만들어버린다. 그와의 관계는 알게 모르게 여자의 생활에 균열을 일으킨다. 남자가 휴대폰으로 전화해서 "지금 뭐해?"라고 묻는다. 여자가 "그냥 친구랑 영화 보러 가려고 했어"라고 대답한다. 이 문장의 포인트는 과거 시제라는 점이다.

그러면 남자는 이렇게 묻는다. "우리 만날래?"

여자는 잠깐 생각한 후에 대답한다. "좋아."

상황을 자신에게 편리하게 만들어두고 싶은 것이 인간의 본성이다. 남자는 어떻게든 그녀를 원할 때마다 만날 수 있는 여자로 만들기 위해 다음과 같은 말로 압력을 가한다.

"나는 계획 세우는 걸 싫어해."

"나는 즉흥적인 게 좋아."

"나는 본능적으로 행동하는 게 좋아."

사랑에 서툰 여자와 여우를 구분하는 또 다른 기준은 그녀가 자기 자신을 얼마나 포기하느냐에 있다. 사귀기 시작한 후 그의 관심이 갈수록 커지는 상황에선 조금 즉흥적으로 만나도 상관없다. 하지만 초기 단계에서는 언제든 만날 수 있는 여자라는 인상을 줘선 안 된다. 그렇게 되면 관계가 늘 남자 위주로 흘러가게 마련이다.

어떤 여자들은 느닷없이 걸려온 남자의 전화를 받고 달려 나가기 위해 곧잘 여자친구와의 약속을 취소한다. 반면에 여우는 원래 계획을 고수한다.

내가 아는 한 여우과의 여자는 발톱에 매니큐어를 칠하다가도 남자친구에게서 전화가 오면 이렇게 말한다.

"정말 고맙지만, 지금 좀 바쁜데……."

가끔 남자가 느닷없이 값비싼 공연 티켓을 구해올 때가 있다.

또는 연인 몰래 낭만적인 이벤트를 준비할 수도 있다. 이런 남자들은 즉흥적이지만 분명히 상대방을 우선순위에 두고 있으므로, 갑작스럽게 만나는 것도 무방하다. 그가 늘 전화하고, 그녀를 많이 보고 싶어한다면 관계는 잘 이어지고 있는 셈이다.

경계해야 할 것은 그런 식의 즉흥적인 만남이 지속될 때다. 여자들은 남자에게 호감을 느끼면 가끔 이 두 가지를 구분하지 못하

여자를 심심풀이 땅콩으로 생각하는 남자	그녀에게 푹 빠져서 즉흥적으로 행동하는 남자
며칠씩 전화 한통 없다가 별안간 전화해서 나오라고 한다.	미리 약속을 정하지만, 시도 때도 없이 그녀를 보고 싶어한다.
술친구들과의 약속을 우선시한다.	친구들이 코빼기도 보기 힘들다고 불평해도 개의치 않는다.
친구들과 여행 계획을 세우고, 그녀에겐 함께 가자는 말도 안 한다.	그녀에게 휴가를 내서 함께 여행을 가자고 늘 조른다.
그녀와 함께 있을 때 자주 짜증내고, 자기만의 시간이 없다고 투덜댄다.	그녀와 함께 있는 시간을 그 어느 때보다 즐긴다.
약속 시간이 임박해서야 전화로 약속을 취소해버린다.	약속을 취소하게 될 경우 아주 미안해하고, 아쉬워한다.
여자를 위해 많은 돈을 쓰지 않는다. 오히려 그녀에게 돈을 빌린다.	그녀를 위해서라면 TV에서 본 슬랩스틱코미디도 어설프게 흉내 낸다.
주말에 약속이 없다고 했는데도 그녀에게 만나자는 말을 하지 않는다.	특별한 일이 없는 한 시간이 나면 어김없이 그녀를 만나려고 한다.

는 경우가 있다.

정당하게 자신의 권리를 요구하는 여자일수록 여왕 대접을 받는다

오후 내내 두 번이나 약속을 번복해놓고 한밤중에야 자기 집으로 오라고 남자가 전화했다면, 그가 보고 싶어 미치고 팔짝 뛸 지경이라도 절대 나가면 안 된다. 이쯤 되면 그와 끝내는 걸 심각하게 고려해야 한다. 이 상황에서 그를 만나는 것은 전혀 플러스가 되지 않는다. 오히려 당신을 향한 그의 '관심도 스위치'를 낮은 쪽으로 돌리는 행동이다.

크리스털도 이와 똑같은 경험을 했다. 토요일 밤에 브렛이라는 남자에게 전화가 왔다. 자정도 훨씬 넘은 비 오는 밤이었는데 그는 아주 유혹적인 목소리로 자기 집에 놀러 오라고 했다. 속이 뻔히 들여다보이는 전화였다. 브렛은 "다른 사람도 만나보고 싶다"면서 지난 2주 동안 한 번도 연락하지 않은 터였다. 게다가 크리스털의 집에서 그의 집까지는 꽤 먼 거리였다.

크리스털은 다음과 같이 대답했다.

"곧 갈게. 5분이면 준비가 끝나. 40분 후엔 도착할 거야."

그녀는 아파트 입구까지 걸어가는 동안 비에 젖기 싫다며 빗속에서 우산을 들고 서 있어달라고 부탁했다. 그리하여 브렛은 기다리고, 기다리고, 또 기다렸다. 그리고 세 시간이 지나서야 깨달았다. 그녀는 오지 않는다는 걸.

다음날 아침 크리스털은 브렛이 보낸 여러 개의 문자메시지에 잠이 깼다. 그중에는 빗속에 오랫동안 서 있는 바람에 독감에 걸렸다는 내용도 있었다.

다시 한 번 말하지만, 여우는 아주 착하다. 그녀는 복숭아처럼 달콤하다. 하지만 복숭아 안에는 단단한 씨가 들어 있다. 즉, 남자가 자신을 존중하지 않을 때는 그런 사실을 굳이 지적하지 않고 행동으로 거절의 표현을 한다. 여우에게 남자의 무례한 태도를 묵묵히 받아들이라는 건 불가능한 주문이다.

켈리는 인기 폭발 중인 멋진 남자를 사로잡았는데, 그 비결은 처음부터 기선을 제압한 데 있었다. 그는 대단히 성공한 사람으로 매력이 철철 넘치고 카리스마가 있었기 때문에, 주위에 여자들이 항상 몰려들었다.

그러나 식당에서 우연히 만난 켈리는 예외였다. 그는 켈리의 관심을 끌려고 애썼지만, 그녀는 오로지 눈앞의 샌드위치만 뚫어지게 바라볼 뿐이었다. 켈리도 그가 자신을 바라보고 있다는 걸 알았지만 모른 척했다. 그는 화요일, 수요일, 목요일…… 매일같이 그 식당에 나타났다. 마침내 그가 데이트 신청을 했을 때 켈리는 잠시 머뭇거리며 대답했다.

"전 당신을 잘 몰라요. 그러니까 처음부터 연인 관계로 시작하는 건 무리고, 일단 친구로 지내면서 어떻게 될지 지켜보도록 하죠."

그는 여자들이 만나달라고 아우성을 쳐대는 데 익숙한 남자였다. 그러나 쉽게 접근할 수 없는 켈리를 보고, 쫓아다니고 싶은 욕구를 느꼈다. 이렇게 해서 켈리는 주도권을 쥐었다.

멋진 남자는 자신이 깔아뭉갤 수 있는 여자를 원치 않는다. 그러므로 여자 쪽에서 데이트할 때 절대 양보할 수 없는 자기만의 몇 가지 조건을 세워두는 것도 바람직한 처세술이다.

[조견 1] **그는 미리 약속 시간을 정해야 한다.**

스스로 명품이라 생각하면 상대방도 그녀를 그만큼 대우한다. 그가 전화해서 "언제 볼 수 있어?"라고 물었을 때 "남아도는 게 시간이야!"라는 말은 절대 해서는 안 된다. 그가 금요일에 만나자고 해도 "OK!", 화요일에 만나자고 해도 "OK!", 다음주 일요일로부터 3주 후에 만나자고 해도 "OK!" 하는 건 문제가 있다. 이쪽에서 먼저 알맞은 날을 이틀 정도 말해주고, 그중 하나를 고르라고 한다. 그는 아마 둘 다 고를 것이다.

내가 아는 한 의사는 환자들이 예약전화를 걸었을 때 접수원에게 "편하신 시간에 오세요"라고 말하지 못하게 한다. 대신 이렇게 말하라고 지시한다. "2시 15분과 4시 15분에 시간이 비는데요, 어느 쪽이 편하신가요?" 대부분의 사람들은 24시간 편의점처럼 언제든 찾아갈 수 있는 의사보다는, 매우 바빠 보이지만 그래도 기꺼이 자신을 위해 시간을 내주려는 의사와의 약속을 더 소중히 여기는 법이다.

[조건 2] 기진맥진한 상황에서는 그를 만나지 않는다.

그가 밤 9시가 넘어 만나고 싶다고 했을 때 여자 쪽에서 너무 피곤해서 늦게까지 돌아다니고 싶지 않다면? 당연히 "좀더 일찍 만났으면 좋겠어요"라고 말해야 한다. 만일 그가 일이 늦게 끝나서 일찍 만날 수 없다면 그냥 다음에 만나자고 한다.

[조건 3] 만났는데 재미도 없고 대화도 안 통한다면 핑계를 대고 바로 데이트를 끝낸다.

첫 데이트에서 술에 취해 무례한 행동을 한다면? 첫째로 술 취한 사람이 운전하는 차는 절대 타지 않는다. 언제나 핸드백 속에 신용카드를 넣어가지고 다니거나 비상금을 꼭 챙겨둔다. 그에게 집에 일찍 가야 한다고 말한 뒤, 화장실로 가서 택시를 부른다.

엄마는 어쩌다 필요하지만,
애인은 언제나 필요하다

심리학 용어 중에 '엄마/창녀 증후군' 이라는 남성 콤플렉스가 있다. 쉽게 말하면 남자들은 모든 여자를 '엄마 아니면 창녀' 로 분류한다는 의미다. 여기서 창녀는 그와 섹스하는 여자, 그가 섹스하고 싶어하는 여자, 또 그와 섹스했던 모든 여자를 말한다.

창녀의 반대는 엄마다. 남자는 너무도 상냥하고 착한 여자를 보면 엄마에게서 느끼는 것과 똑같은 사랑을 느낀다. 하지만 그녀에 대해 어떤 도전욕구도 일지 않는다. 그녀는 늘 제자리에 있기 때문에 남자는 그녀의 존재를 당연시한다.

"그 여자는 정말 착해. 하지만 불꽃이 일지 않는단 말이야."

결국 엄마와 창녀 사이엔 이런 공식이 성립된다.

안전함+지루함+엄마= 불꽃이 없음

예측불허+불규칙적+창녀= 불꽃이 활활

비록 자신이 소유할 수 없는 독립적인 여자에게 끌린다 해도, 그는 여전히 그녀를 엄마처럼 만들고 싶어한다. 즉 그는 그녀가 자신을 위해 요리하고, 청소하고, 빨래하기를 바란다.

내가 아는 한 여자는 결혼 초기에 그녀만의 방식으로 빨래 문제를 해결했다. 그녀는 남편의 하얀 속옷을 모두 모아 자신의 빨간색 스웨터와 함께 세탁기에 넣고는, 확실한 효과를 위해 아예 뜨거운 물로 세탁을 했다. 그 결과, 무사한 속옷은 그가 입고 있던 것뿐이었다. 동성애자가 아닌 이상, 남자는 핑크색 속옷이라면 기겁하게 마련이다. 남편은 자신의 속옷이 망가진 것을 보고 그녀가 그토록 고대하던 말을 하면서 으름장을 놓았다.

"앞으로 절대, 두 번 다시 내 빨래에 손대지 마!"

아무리 완벽한 주부가 되기 위해 열심히 노력해도 남자들은 여전히 마음속으로 창녀를 원한다. 끊임없는 엄마 노릇은 결국 남자의 애정을 식게 만들기 때문이다. 물론 '모든 남자는 엄마 같은 여자를 찾는다'는 말도 있다. 멋진 이론이긴 하지만, 그렇다고 해서 퇴근하는 남자를 마중하기 위해 맨발로 달려 나가거나, 그의 보호자처럼 굴어야 한다는 뜻은 아니다.

여자들은 가끔 남자를 숨 막히게 만들거나, 어린아이 대하듯 한다. 이는 종종 남자의 애정을 식어버리게 하며, 반항적인 십대 소년처럼 여자와 거리를 두게 만든다. 다음은 여자가 엄마처럼 구는 대표적인 행동들이다.

- 그의 사생활을 꼬치꼬치 캐거나 일일이 보고하라고 한다.
- 그가 모든 여가 시간을 자신과 함께 보낼 거라고 기대한다.
- 둘이 함께 있지 않을 때 뭘 했는지 조목조목 설명하라고 한다.
- 그가 다가올 여지도 남기지 않고 맹목적으로 사랑을 퍼붓는다.

제아무리 질긴 고무줄도 팽팽히 당기면 끊어진다

여자들이 별 생각 없이 하는 말 중에도 엄마처럼 구는 말들이 아주 많다.

"가서 좀 쉬어."

"너무 늦게까지 돌아다니지 마."

"집에 들어오면 전화해."

이런 말을 들으면 그는 거세당하는 기분이 든다. 두 살짜리 아이에게 "낮잠 자고 나서 엄마랑 쿠키 먹자"라고 말하는 것과 다를 바 없으니까.

여자가 엄마처럼 캐묻고 간섭하기 시작하면 그는 친구와 함께 낚시도구를 손보거나, 맥주 한 잔 하다가 평소보다 30분 늦게 집에 돌아온다. 그녀에게 변명해야 한다고 느끼는 순간부터 그는 자유를 빼앗긴 기분이 든다. 그러면 단지 자신의 '영역'을 지키기 위해 굳이 숨길 필요가 없는 사실들을 숨기려고 거짓말을 하게 된다. 그러면서 스스로가 마치 독 안에 든 쥐 같다고 생각한다.

잔소리는 잔소리일 뿐 사랑의 표현이 아니다. 출근시간에 늦어 급하게 면도하는 남자를 목욕탕까지 따라가 잔소리한다든가, 뭔가 수상하다는 듯 그의 차안을 뒤진다든가, 통화 내용을 엿듣는 것은 그를 더 질리게 한다. "셔츠를 바지 안으로 집어넣어", "가서 손 씻고 와", "머리 잘 빗어야지"와 같은 말도 삼가야 한다. 그에게 배고프냐고 연거푸 묻거나, 그의 일거수일투족에 신경을 곤두세우는 것도 마찬가지다.

데이트할 때도 예외는 아니다. 남자에게 데이트를 의무인 것처럼 강요하기 시작하면 즐거움은 사라지고, 하기 싫은 일이 되어버린다. 엄마에게 몇 시까지 들어오라는 명령을 받은 십대 소년처럼 반항심이 생기기 때문이다. 그녀를 만나는 것이 의무처럼 느껴질 때, 그녀의 사랑은 그에게 짐이 된다.

진심으로 그의 사랑을 원한다면 엄마가 아니라 연인이 되어야 한다. 그러면 그는 데이트를 의무가 아닌 특권으로 받아들이게 되고, 결국 당신은 자연스럽게 그의 사랑을 얻게 된다.

남자들은 비상구 없는 삶을 못 견딘다

남자들은 여자가 관심을 보이면, 어떻게든 자신의 '발목을 잡으려' 든다고 자동적으로 추측한다. 여자의 입에서 '우리 관계'라는 말이 연거푸 튀어나온다면 그는 그녀가 자신을 옭아매서는 혼인신고서에 억지로 도장 찍게 만들려고 한다고 생각한다. 그녀가 예쁜 아이를 보고 흥분한다면 그는 충격을 받아 그날 밤 악몽을 꾸고, 그것을 피임에 더욱 철저히 대비하라는 계시로 받아들인다.

남자는 사랑 때문에 마음이 약해졌다고 느끼는 순간, 자신의 자유로운 영혼이 짓밟힐까 두려워한다. 가끔씩 남자들이 다음과 같은 말을 하는 것을 들어봤을 것이다.

"난 선택의 여지를 남겨두고 싶어."

"난 어느 한곳에 매이기 싫어."

그들은 또 '족쇄'라느니 '창살 없는 감옥'이라는 표현을 즐겨 사용한다.

남자에게 자유를 주면, 이번에는 그가 그녀를 구속하려 든다

남자들이 자유를 잃을까봐 끔찍해한다는 것은 분명한 사실이다. 평생 한 여자에게 헌신해야 한다는 생각은 남자들을 겁나게 만든다. 남자 쪽에서 별로 노력하지도 않았는데 여자가 벌써부터 진지한 사이인 것처럼 행동하기 시작하면, 남자는 그 즉시 두려움을 느끼고 달아날 준비를 한다. 여자가 불과 서너 번의 데이트만으로 남자를 구속하려 들면, 그때부터 그는 감시 시스템이 작동되었다고 판단한다.

별안간 마법은 사라져버리고, 남자는 독방에 갇힌 죄수 신세가 될까봐 공포에 떤다.

이럴 때 여우들은 남자와 좀더 거리를 둔다. 겉으로 보기에 그

그녀가 하는 말	그에게 들리는 말
"당신이 밤에 어디 있는지 알려주면 좋겠어요. 그건 서로에 대한 예의잖아요."	귀가 시간을 간수에게 보고해야 하는 감시하의 외출.
"우리가 함께 있지 않을 때 당신이 전화하지 않으면 화가 나요."	자신의 족쇄에 붙은 열쇠가 짤그랑거리는 소리.
"우리는 함께 있어야 해요. 내가 있는데 대체 다른 남자친구가 왜 필요한 거죠?"	15분 내에 "점등하고 문 잠글 것!"
"1년 안에 아기를 갖고 싶어요."	아무것도 없음(죄수 탈옥).

녀는 그의 자유를 빼앗거나, 그를 구속하는 일 따위에는 아무 관심도 없는 것처럼 행동한다. 남자들이 여우에게 끌리는 이유 가운데 하나가 바로 이것이다.

이런 현상을 제대로 이해하기 위해서는 진정한 해답이 있는 곳에 관심을 집중해야 한다. 바로 동물의 왕국이다. 남자들은 사냥꾼이다. 거칠게 날뛰는 사냥감일수록 그들은 더더욱 쓰러뜨리고 싶어한다. 대부분의 남자들이 여우에게 끌리는 것은 바로 강한 여자를 넘어뜨릴 때의 스릴 때문이다.

낸시는 대학원에서 야간수업을 듣고 있었는데, 한 남학생이 그녀에게 데이트 신청을 했다. 낸시는 이렇게 대답했다.

"좋아요. 나도 그러고 싶어요. 하지만 수업을 듣는 동안에는 서로 공적인 관계를 유지했으면 좋겠어요."

분명 두 사람은 서로에게 강하게 끌리고 있었으므로 낸시의 이런 발언은 전혀 장애가 될 수 없었다. 오히려 그는 사냥꾼 특유의 기질을 발휘하여 '낸시 생포' 작전에 돌입했다.

시작은 미미하나 불처럼 타오르는 게 남자들의 사랑 방식이다

남자의 두려움을 해소시키는 방법은 '처음부터 너무 진지한 관계는 사절'이라고 미리 못을 박는 것이다. 그러면 그는 경계를 풀게 되고, 그녀는 그의 머릿속에서 '감시 시스템'이 작동되는 것을 자연스럽게 막을 수 있다. 그런 다음 그에게 계속 관심을 보이는 것이다. 이는 마치 여자가 운전석을 차지하고, 남자는 보조석에 앉아 얌전히 드라이브를 즐기는 것과 같다. 남자는 그 차에 계속 머무르길 원한다. 자신이 운전할 때는 어떤 스릴도 쫓는 재미도 없었는데, 여자가 운전하면서 드라이브가 갑자기 흥미로워진 것이다. 그는 그녀가 핸들을 어디로 꺾을지 전혀 예측할 수 없다.

남자를 구속하지 않으려면 첫 데이트에서 "당분간은 가볍게 만났으면 좋겠어요"라고 말해보자. 물론 상황은 곧 바뀐다. 함께 일하는 사이라면 공사를 구분하지 않는 것이 과연 좋은 생각인지 모르겠다고 말하라. 만약 멀리 떨어진 남자와 사귄다면 장거리 관계가 가능할지 모르겠다며 불확실한 태도를 보이는 게 좋다.

반대로 내키지 않는 남자를 떼어버리고 싶다면 이렇게 말해 보자.

"아기요? 난 아기라면 사족을 못 써요! 최소한 여섯은 낳고 싶어요. 앞으로 4년 안에 셋 정도는 낳아야……."

친구 이상의 감정이 없는 남자에게 상처 주지 않고 거리를 두고자 할 때도 이 방법은 확실한 효과가 보장된다.

"기저귀요? 금방 능숙하게 다룰 수 있어요. 그리고 걱정 말아요. 아기들 응아 냄새에도 곧 익숙해질 테니까. 변기 쓰는 법을 익힐 때까지만 참으면 되니까 별로 긴 시간도 아니죠."

남자에게 이런 말을 할 때는 반드시 1층인지 확인해야 한다. 그가 베란다 아래로 몸을 던질지도 모르니까(창문이 열려 있거나 고도가 높은 곳도 반드시 피해야 한다).

여자 앞에서 남자는 잔뜩 겁먹은 채 헤매는 길 잃은 강아지나 마찬가지다. 그녀가 절대 해치지 않을 거라는 걸 본능적으로 알게 되면 결국 그는 경계를 풀고, 그녀 곁에 머물려 한다. 일단 경계를 풀고 나면 돌이킬 수 없는 지점에 이르는 것은 시간문제다. 남자가 사랑에 눈이 멀어 있을 때는 "뭐 하고 있어?"라고 물을 필요도 없다. 연인이 알고 싶어하는 모든 것을 그가 먼저 자진해서 털어놓기 때문이다. 심지어 친구들과 어울릴 때조차 빨리 집에 들어가 그녀에게 전화하고 싶어한다.

남자들이 여우 같은 여자를 좋아하는 이유도 이와 무관하지 않다. 쉽게 차지할 수 없는 여우를 만나면 남자들은 자동적으로 그녀에게 다가갈 수 없는 변명거리를 생각해낸다.

'저 여자는 여우니까 너무 진지해지지 말아야지. 그냥 즐겁게 만나는 거야.'

그는 스스로 그렇게 다짐한다. 그러다가 덜컥 그녀를 사랑하게 되고, 그러면 한방 먹는 것이다. 남자들은 결코 사랑에 빠지는 길을 선택하지 않는다. 그런 일은 우연히 일어난다. 마치 "어이쿠!" 하는 것처럼 그녀에게 빠져버린다. '사랑에 빠졌다' 는 말이 생긴 것도 그 때문이다.

거부할 수 없는 진실 '싼 게 비지떡'

에디 머피 주연의 영화 〈구혼작전〉을 보면 다음과 같은 장면이 나온다. 왕자인 에디 머피는 아리따운 여인과 결혼하기 위해 제단 앞에 섰다. 식이 시작되기 전에 그는 신부를 뒷방으로 데려가 묻는다.

"당신이 좋아하는 건 뭐요?"

신부가 대답한다.

"왕자님이 좋아하는 거요."

그러자 에디 머피가 다시 좋아하는 음식이 뭐냐고 묻는다.

"왕자님이 좋아하는 음식이요."

신부의 대답은 점점 더 비굴해져간다. 마지막으로 그는 신부에게 개처럼 짖으며 한 발로 깡충깡충 뛰어보라고 한다. 신부가 시키는 대로 하는 순간, 그는 그녀와 결혼할 수 없다는 걸 깨닫는다.

남자는 자기 의사를 정확히 밝힐 줄 아는 여자를 존중한다

남자는 '호적수'로 느껴지는 여자를 만났을 때 사랑에 빠진다. 남자가 약간 빈정거리면서 말하면 여우는 곧장 같은 말투로 맞받아친다. 이렇게 '한방씩 주고받으며' 주체적으로 행동하는 여자일수록, 그녀에 대한 남자의 존경심은 커진다.

한 유부남은 이렇게 말했다.

"가끔은 근사하게 차려입고 외출하면서 남편에게 애들이나 보라고 말하는 거예요. 부탁하지 말고, 그냥 명령하는 거죠."

또 다른 남자는 훨씬 더 충격적인 고백을 했다.

"내 생각에 대부분의 남자들은 아마 아내가 집안의 실권을 잡는 것에 대해 별로 언짢아하지 않을 겁니다. 다른 사람이 모르기만 한다면요."

여기서 지금까지 착해빠진 여자들이 잘못 알고 있었던 남자들의 심리가 만천하에 드러난다. 바로 남자들은 줏대 없는 여자보다 원하는 걸 정확히 말하는 여자들을 존중한다는 사실이다. 〈해리가 샐리를 만났을 때〉에서 자신이 원하는 샌드위치를 주문하는 데 한 시간이나 걸렸던 맥 라이언을 기억하는가? 이처럼 사소한 것 하나라도 취향과 의사를 분명히 밝힐 때 그녀와 그 모두 행복해질 수 있다.

여우 같은 여자는 늘 자기가 원하는 영화만 보고, 자기가 좋아하는 식당에만 데려가는 남자라면 미련 없이 연락을 끊는다. 음식이나 영화 종류가 중요한 게 아니다. 문제는 그의 이기심이다. 여우들은 그런 성격적 결함은 절대 참지 못한다.

비디오 가게에서 자신이 이미 본 영화를 그가 집었을 때, 양보가 최선의 미덕이라 생각하고 "당신이 안 봤다면 내가 한 번 더 볼게"라고 말한다면 꿀밤 한 대. 대신 여우 같은 여자들은 "재미있는 영화 많잖아. 우리 둘 다 안 본 영화로 고르자."라고 말한다.

남자가 끔찍이 싫어하는 요리를 먹으러 가자고 했을 때도 센스 있는 여우는 "이 근처에 진짜 괜찮은 레스토랑이 생겼다는데 한번 가보죠"라고 말한다. 여자 쪽에서 먼저 제안을 하거나 주도권을 잡는 데 전혀 두려움이 없다는 걸 보이면, 남자는 신사가 되고 싶어한다. 신사는 당연히 즐거운 데이트를 위해 노력한다.

안나는 최근에 어떤 남자와 식사를 했는데, 그가 식당에서 바다 가재 두 마리를 주문했다. 안나는 채식주의자는 아니지만, 어릴 때 개구리를 키웠기 때문에 바다 가재들이 조그만 다리를 꼼지락거리는 걸 보고 깜짝 놀랐다. 그녀는 "앞으로 5분 동안 이 두 마리가 산 채로 끓는 물 속에 들어가 삶아진다는 걸 생각하면 도저히 앉아 있을 수가 없어요"라며 다른 요리를 먹자고 우겼다.

안나는 그 남자가 다시는 전화하지 않을 거라고 확신했다. 하지만 확신은 빗나가고, 그는 매일 그녀에게 전화를 걸었다. 그는 자기가 좋아하는 바다 가재를 먹기보다는 그녀를 즐겁게 해주고 싶었던 것이다. 그가 바로 신사다. 물론 지금 당장 바다 가재로 남자친구의 사랑을 시험해보라는 말은 아니다. 에디 머피의 신부처럼 "당신이 원하는 거라면 뭐든 상관없어요"라고 말하는 것보다는 이 편이 훨씬 낫다는 뜻이다.

여우에게 데이트는 필요가 아닌 선택이다

그렇다고 해서 남자들이 늘 싸가지 없이 굴거나, 인생의 답답한 문제들에 대해 불평만 늘어놓는 여자를 좋아한다는 뜻은 결코 아니다. 다만 거리낌없이 남자와 다른 의견을 내놓거나 자신의 의견을 표현하는 여자를 원한다는 의미다.

첫 데이트에서 남자가 "취미가 뭐예요?"라고 물으면 어깨를 으쓱하며 "글쎄요. 뭐 그냥 이것저것이요."라고 말하지 말자. 일부러 거창한 취미를 꾸며낼 필요는 없지만, 그에게 '삶에 대한 의욕'을 보이는 건 중요하다. 하품을 하며 "가끔씩 책을 뒤적거려요"라고 말하는 것과, "지금 여성문제 저술가 수잔 팔루디의 책을 읽고 있는데 정말 흥미진진해요. 팔루디는 뛰어난 작가예요."라고 말하는 것은 천지 차이다.

주위에 남자친구와 안 좋은 일이 생겼을 때만 연락해오는 친구가 있는가? 그런 여자는 한두 달간은 코빼기도 보이지 않다가, 남자에게 차이고 나면 그때서야 여자친구들을 붙잡고 하소연한다. 그러고는 다시 다른 남자에게 차일 때까지 종적을 감춘다.

누구도 그런 여자와 친구로 지내고 싶어하지 않는다. 여자들끼리 깊은 우정을 유지하는 것도 중요한 법인데, 그녀가 우정을 위해 아무 노력도 기울이지 않는다고 느끼기 때문이다.

여자가 남자에게 너무 의존적일 때 남자도 그와 똑같은 기분을 느낀다. 그도 인간일 뿐이며 그에게는 또 그만의 문제가 있게 마련인데, 여자가 지나치게 기대면 그는 부담스럽다.

여우들은 가끔 거드름을 피우거나, 필요에 의해 그와 사귀는 게 아니라는 인상을 심어준다. 그녀가 혼자서도 잘 지낸다는 사실을 알면, 남자는 자신이 강한 여자를 잡았다고 느낀다. 그때 비로소 두 사람은 남자가 일방적으로 헌신하는 게 아니라, 서로 주고받는 대등한 관계가 된다.

그만큼 남녀 사이는 어느 정도 거리를 두는 것이 중요하다. 그런 모습은 여자를 당당해 보이게 만들고, 그 결과 그녀는 그에게 '영원히 도전해야 할 대상'으로 남을 수 있다. 왜? 그녀는 필요가 아닌 선택에 의해 그를 사귀기 때문이다.

한 사람의 인간으로서 그녀는 그가 있든 없든 스스로를 완전하다고 느낀다. 여자가 남자에게 보여야 할 가장 중요한 모습은 바로 독립적인 태도다. 그런 태도야말로 남자에게 주체적인 여인이란 인상을 심어준다.

3

남자의 아이덴티티, 자존심

남자와 자존심의 상관관계. 남자에게 자존심은 목숨을 걸고 지켜야 할 가치이자, 남자다움의 표상이다. 그런 남자의 자존심을 짓밟고 평생 고생하느니, 차라리 그의 자존심과 친구가 되어 영악하게 잇속을 챙기는 게 현명하다.

"나는 '약한 여자' 라는 말은 여자들이 남자들을 쥐고
흔들기 위해 지어낸 말이라는 사실을 알았다."

오그던 내시

그의 철통같은 자존심에 먹칠하는 여자, 평생이 괴로울지니

남자들은 자존심에 목숨을 건다. 남자들이 전쟁에 나가는 것도, 사업체를 키우려 하는 것도, 헬스장에서 이를 악물고 몸을 부들부들 떨면서 웨이트트레이닝을 하는 것도 알고 보면 다 자존심 때문이다. 자존심은 남자들이 구걸하고, 훔치고, 빌리는 모든 행동의 원인이다. 아울러 사랑에 빠지는 원인이기도 하다.

그러므로 남자로 하여금 베풀게 만들려면, 그가 뭔가를 해줬을 때 감사의 마음을 표현하여 그의 자존심을 지켜줘야 한다.

자존심과 함께, '남자다움'도 남자들이 지키고 싶어하는 욕망 중 하나다. 그렇기 때문에 남자들은 길을 가다 헛갈려도 절대 길을 묻지 않는다. 목적지에 가려면 방향을 돌려 여섯 개의 출구를 거슬러 가야 한다고 아무리 말해도 소용없다. 그는 여전히 부서져라 페달을 밟으며 반대 방향으로 간다. 그는 길을 잃은 것이 아니다. 다만 다음과 같은 절대적 이유(?)가 있었을 뿐!

"다른 지역도 좀 익혀두려고 했을 뿐이야."

"목적지가 바뀌었어."

"반대편 경치도 보려고 했을 뿐이야."

"새로운 곳을 탐험했을 뿐이야."

남자는 절대 길을 잃지 않는다. 아무렴. 가제트 형사조차 원래 목적지에서 한참 떨어진 곳을 헤매면서도 "주변을 살펴봤을 뿐"이라고 말하지 않던가. 그가 오른쪽으로 차를 돌리게 만들려면 "아무래도 왼쪽으로 돌아야 할 것 같아요"라고 말하는 편이 빠르다. 남자들은 자신의 방향감각이 항상 여자보다 우월하다고 생각한다. 이건 남자의 자존심이 걸린 문제이기 때문에 방향전환도, 순환선도 그의 사전엔 있을 수 없다.

남자를 백발백중 황홀경에 빠뜨리는 세 마디 말은?

"당신 말이 맞아요."

남자 스스로 틀렸다는 걸 인정하게 만들기란 불가능에 가까우

므로, 괜히 헛수고하지 말고 그냥 옳다고 생각하게 내버려두자. 그게 똑똑한 여자다. 여우 같은 여자가 남자 스스로 주도권을 쥐고 있다고 착각하게 두는 것도 바로 그런 이유 때문이다.

남자들은 한 여자만의 슈퍼맨이 되고 싶어한다

남자가 자상하게 굴 때 한 번씩 그를 치켜세워주면 그는 마치 슈퍼맨이 된 듯 우쭐한 기분에 빠진다. 이건 결코 나쁜 일이 아니다. 그 결과 이득을 보는 건 바로 여자들이다.

아네트는 경험을 통해 이 교훈을 깨달았다. 어느 날, 그녀는 사귄 지 얼마 되지 않은 남자친구에게 자신이 뒤뜰에서 뱀을 죽인 사건을 털어놓았다.

남자친구가 물었다.

"대체 어떻게 뱀을 죽인 거야?"

아네트는 즐거운 얘깃거리란 듯 커다란 삽을 이용해 뱀과 한바탕 전투를 치른 이야기를 상세히 들려주었다. 그런데 그녀가 그 잔인한 '학살' 장면을 생생한 다큐멘터리로 재현하는 동안, 그의 얼굴은 완전히 겁에 질려버렸다.

여자가 타잔처럼 행동하면 남자는 마치 제인이 된 듯한 기분을 느낀다. 그러므로 남자가 옆에 있을 때는 뱀은커녕 날파리 한

마리도 죽여선 안 된다. 전구를 가는 것도 안 된다. 이것은 구시대적 가치관이 아니라, 남자의 역할을 만들어주기 위한 일종의 배려다. 혈기왕성한 남자에겐 자신이 '진짜 남자'라는 기분을 느끼게 해줘야 한다.

그렇다고 해서 매사에 순종적으로 굴라는 뜻은 아니다. 그의 도전욕구를 자극하면서도, 한편으로는 독립적인 모습을 보여야 한다. 다음과 같은 경우에는 절대 그에게 도움의 손길을 요구해선 안 된다.

- 상식적인 문제
- 일상사
- 감정적 안정
- 자기 가치에 대한 확신
- 자긍심
- 한 인간으로서 완전하다는 느낌

이런 문제로 남자에게 도움을 청하는 건 매달린다는 의미다. 그러나 그의 남자다움을 필요로 하고, 고마워하는 모습은 얼마든지 보여도 된다. 자신의 '남자다움(구레나룻, 근육, 힘, 가슴 털, 카리스마)'을 인정받았을 때 그는 기꺼이 자기 여자를 위해 죽는 시늉이라도 한다.

남자들은 자존심에 금이 가는 걸 죽기보다 싫어한다

남자들이 자존심을 목숨처럼 소중히 여긴다는 것은, 돌려 생각하면 여자가 남자에게 '드센' 인상을 줄 때 두 사람 사이에 전쟁이 터질 확률이 높다는 의미다. 남자는 경쟁심이 발동하면 아무리 사랑하는 여자라도 어떻게든 이기려 들 것이고, 결국 손해 보는 것은 여자 쪽이다.

일반적으로 남자는 여자에게서 "당신이 최고!"란 말을 가장 듣고 싶어한다. 심지어 "자기처럼 땅콩 안주를 잘 먹는 사람은 내 평생 처음 봤어. 당신이 최고야."라는 말에도 남자들은 감격한다. 그러므로 여자 입장에서는 평화로운 관계를 위해 '최고'라는 표현을 자주 쓰는 것이 좋다. 그러면 그는 언제나 그녀를 위해 최선을 다할 것이다.

예를 들면 "전에는 꽃도 잘 사주더니……" 하고 불평하는 대신 그가 꽃다발을 사올 때마다 "이렇게 예쁜 꽃은 처음 봐요."라고 말하는 것이다. 또 외식을 자주 하지 않는다고 불평하지 말고, 그가 식당에 데려갈 때마다 너무 근사하다고 치켜세우는 것이다. 단, 그가 그 레스토랑에 와본 적이 있냐고 물으면 "전에 사귀던 남자 따라 몇 번 와봤어요."라고 대답해선 절대 안 된다(그와 또 외식을 하고 싶다면).

여자는 그의 자존심과 친구가 되어야 한다. 남자가 자신의 남자다움을 한껏 드러내는 것들, 예를 들면 코끼리 엄니나 1986년도 슈퍼볼 포스터, 파이프 등을 거실에 진열하고 싶어하면, 기겁해서 당장 버리라고 소리치지 말고 이렇게 맞장구쳐보자.

"자기 할아버지 파이프 너무 멋지다!"

그러고는 바로 지금 그의 도움이 절실한 곳은 다락방이라고 말하자. 그러면 다락방은 물론 지하창고까지, 그의 손은 전자동 청소기가 되어 온 집 안을 누빌 것이다.

남자에게 도움의 손길을 바란다면 스스로를 강한 존재라고 느끼게 해주는 게 좋다. 예를 들면 비디오를 고치거나, 벽에 사진을 걸거나, 전구를 바꾸는 것과 같은 간단한 일을 부탁하는 것이다. 요란한 소리가 나는 전동드릴을 쓸 때 그는 람보가 된 기분을 느낀다. 설사 벽에 건 그림이 삐뚤어졌다 해도 완벽하다는 반응을 보여야 한다. 그가 방을 나간 후에 바로잡으면 그만이다.

마찬가지로 그가 월급봉투를 건네면 '우리 가족을 먹여 살리기 위해' 열심히 일해줘서 고맙다는 말을 잊지 말아야 한다. 그리고 이번에도 그가 방을 나갈 때까지 기다린 다음, 명세표를 보면서 야근수당까지 모두 챙겨 받았는지 꼼꼼히 확인한다.

그가 만든 선반이 45도쯤 휘어서 물건이 한쪽으로 계속 흘러내려도 정직하게 화낼 것 없다. 동물원의 행복한 물개처럼 열심히 박수를 쳐준 다음, 그가 없을 때 수리공을 불러 수리하면 된다. 그러나 남자에게 "선반이 휘었어"라고 말하는 순간, 모든 것은 끝난다. 그 말을 듣는 순간 남자의 기분은 미술시간에 그림 못 그렸다고 꾸중 듣는 어린아이만큼 꿀꿀해지고, 그는 두 번 다시 집안일을 할 맘이 생기지 않는다.

여우들은 남자의 자존심을 세워주기 위해 일부러 우둔한 척한다. 다음은 그녀의 세상에서 그가 킹콩이 된 듯한 기분을 맛보게 하기 위해 여우들이 쓰는 방법이다.

- 황혼녘에 산책할 때 무섭다며 그에게 함께 가자고 한다.
- 밤에 창밖으로 무슨 소리가 들리면 정말로 무서운 척하면서 그에게 무슨 소리였는지 확인하고 오라고 말한다.
- 그에게 병뚜껑을 열어달라거나 원피스의 지퍼를 올려달라고 한다(설사 혼자 할 수 있다 해도).
- 무서운 영화를 볼 때는 그에게 바싹 매달린다. 폭력적인 장면이 나오면 눈을 감고, 그에게 그 장면이 지나가면 말해달라고 한다.
- 추운 날씨엔 그의 코트 속으로 파고들며 따뜻하다고 말한다.
- 혼자 옮길 수 있는 가구라도 그에게 옮기게 한다. 그가 가구를 다 옮겨놓으면 그의 노고를 열렬히 치하해준다. "우와, 당신 정말 힘세다! 대체 이런 걸 어떻게 옮겨?"
- 그에게 주차를 부탁하거나 좁은 공간에 주차된 차를 빼달라고

한다. "당신 운전 솜씨는 정말 최고야!"라고 몇 번만 칭찬해주면 그는 세차는 물론 기름까지 채워둘 것이다.

남자들은 맘에 드는 여자에게 데이트 비용을 물리지 않는다

남자의 자존심을 세워주는 것은 생각만큼 어렵지 않다. 세 살짜리 아이가 유치원에서 그린 그림을 보면서 "이게 닭이니 소니? 아가야, 넌 그림 말고 다른 걸 해야겠다."라고 말하는 엄마는 세상에 없다. 대신 "어쩜 이렇게 잘 그렸니? 걸작이다!"라고 말한다. 그러면 아이는 우쭐거리며 계속 그림을 그린다.

남자가 맛있는 음식을 사줬을 땐 식사 중에 한 번, 그리고 데이트가 끝난 후에 다시 한 번 고맙다고 말하는 것이 좋다. 그런데 착해빠진 여자들은 너무 자주 고맙다고 말하는 실수를 저지른다. 식사 중에 하는 것도 모자라 다음날 문자메시지까지 날린다. 지금까지 누구도 그런 음식을 사준 적이 없었다는 걸 일부러 티내는 것처럼.

데이트 초기에는 당연히 남자가 식사비를 계산해야 한다. 어느 정도 시간이 흐른 뒤에는 여자가 낼 수도 있다. 그러나 그 경우에도 더치페이는 하면 안 된다. 그는 늘 밥을 같이 먹는 직장동료가 아니다.

첫 데이트부터 더치페이를 요구하는 남자라면 안 만나는 편이 낫다. 이건 돈 몇 푼의 문제가 아니라, 그가 상대방에게 잘 보이려는 마음이 없다는 뜻이다. 여자에게 푹 빠졌을 때 남자는 사소한 돈에 신경 쓰지 않는다. 더욱이 정말 좋아하는 여자와 데이트하면서 더치페이를 할 생각은 전혀 하지 않는다. 그의 관심은 오로지 어떻게 하면 그녀의 마음을 얻을지에만 쏠려 있다.

설사 남자가 학생이거나 벌이가 시원치 않다고 해도, 마음에 드는 여자에게 데이트 비용을 지불하란 말은 절대 하지 않는다. 그녀에게 잘 보이고 싶다면 그는 비용이 덜 들거나 아예 돈이 들지 않는 걸 하자고 제안할 것이다. 저렴한 와인과 담요를 챙겨서 그녀를 한가로운 공원으로 데려가거나, 무료 시사회 티켓으로 그녀와 영화를 볼 수도 있다.

라디오 프로를 진행하던 도중에 이런 일이 있었다. 한 여성 청취자가 전화해서 데이트할 때 꼭 남자가 돈을 내야 하냐고 물었다. 내가 "처음에는 당연히 그래야죠"라고 말하자, 옆에 있던 남자 게스트와 남자 엔지니어들이 모두 불공평하다며 씩씩거렸다.

그들의 반응에 나는 똑똑히 대꾸했다.

"물론 공평해요."

나도 그들의 말이 무슨 뜻인지 안다. 하지만 똑같이 일한 대가로 남자들이 1달러 받을 때 여자들이 60센트를 받는 것도 불공평한 일이다. 여자들이 답답한 브래지어를 하고 하이힐을 신고 다니는 것도 불공평하며, 여자들만 아기를 낳고 키우는 것도 불공평하다. 그러니 데이트할 때만이라도 그가 남자가 되도록 내버려두자. 그것도 기왕이면 신사가.

중요한 것은 그가 식사비를 지불할 경우, 식사 후에 그에게 진심으로 고마워한다는 사실을 알리는 것이다. 그런 다음 음식, 와인, 레스토랑을 선택한 그의 취향을 칭찬한다. 마음에 안 들었을 때는 아예 언급하지 않는 게 좋다.

여우는 사소한 일에 절대 핏대 세우지 않는다

남자는 늘 자신이 '옳다'고 생각할 뿐 아니라 모든 게 '자신의 아이디어'였다고 생각하기를 좋아한다. 그래서 종종 여러 친구들 앞에서 여자친구의 아이디어를 마치 자기 생각인 양 자랑스럽게 떠들어대기도 한다. 그렇게 해서 자신이 대장이라는 것을 보여주고 싶은 것이다. 이럴 때는 괜히 소동 피우지 말고, 그의 아이디어였다고 맞장구를 쳐주는 게 좋다. 굳이 진실을 밝힘으로써 사람들 앞에서 그를 무안하게 만들 필요 없다. 그러면 그는 마치 친구들 앞에서 혼난 아이처럼 무력감을 느낄 것이다.

꼭 따져야겠다면 기다렸다가 단 둘이 있을 때 신경에 거슬렸던 그의 행동에 대해 이야기한다. 사람들 앞에서가 아닌, 단 둘이 있을 때 이야기하는 것이다. 별로 중요하지 않은 일이라면, 그가 실컷 잘난 척하도록 내버려두자.

여우는 무엇이 중요한지 알고 있다. 그녀는 절대 사소한 일에 핏대를 세우지 않는다. 이겨봤자 얻을 게 없는 싸움일 때는 더더욱 그렇다. '영리한 독수리는 발톱을 내보이지 않는다' 는 일본 속담처럼, 여우는 자신을 드러내지 않으면서 강하다. 그녀는 자신의 입장을 고수하면서도 남자를 주눅 들게 만들지 않는다. 그녀는 권력을 포기한 것처럼 보이지만, 실은 그 과정에서 주도권을 쥔다.

그가 다른 사람들 앞에서 남자답게 보이도록 도와주면, 그로 인한 혜택은 온전히 여자에게 돌아온다. 예를 들어 먼저 차 문을 열게 하거나 그의 이름으로 식당을 예약하게 하면, 그는 우쭐해진다. 그러나 이것은 허울뿐인, 겉으로 드러나는 권력이다.

정말 주도권을 쥐게 되면 굳이 떠벌리거나 자랑할 필요 없다. 그가 자기 여자를 극진하게 대한다면 그녀는 이미 필요한 권력을 모두 손에 넣은 셈이다. 여성성의 힘은 남성성과 똑같이 강력하다. 옛말 그대로다. 남자는 세상을 지배하지만, 남자를 지배하는 것은 여자다.

수십 년간 금실 좋은 부부관계를 유지해온 앨리스 할머니는 다음과 같이 충고했다.

"나는 뭔가 하고 싶을 때마다 그게 모두 남편의 아이디어였다고 믿게 만들어요. '여보, A 레스토랑에 갈래요, 아니면 B 레스토랑에 갈래요?' 돈을 내는 건 남편이니까 언제나 그에게 선택권이 있는 것처럼 보이게 하는 거야. 그리고 식사가 끝난 후에는 '당신의 선택은 정말 탁월했어요!' 라고 치켜세우는 거지."

자존심은 남자를 버터처럼 녹여버린다. 그 사실을 이용하면 관계 속에서 편하게 주도권을 쥘 수 있다.

남자들은 여자의 눈에 계속 왕처럼 보이고 싶어하며, 그녀가 자기 때문에 즐거워하길 원한다. 그들은 "정말 멋져요. 당신을 존경해요."라고 말해줄 여자를 얻기 위해 한평생을 보낸다고 해도 과언이 아니다. 사랑하는 여자에게 인정받기 위해서라면 그는 에베레스트 산이라도 기꺼이 오를 것이다.

남자는 자기 자존심을 살려주는 여자에게 끝까지 충성한다

여자 쪽에서 일단 주도권을 잡으면 남자는 자신이 파워를 갖고 있다는 사실에 만족해서 실세는 그녀라는 사실조차 깨닫지 못한다. 아무리 똑똑한 남자도 마찬가지다. 결혼 50주년을 맞이해 아인슈타인이 했던 말을 상기해보자.

"처음 결혼할 때 우린 한 가지 협정을 맺었다. 앞으로 살면서 인생의 큰 결정은 모두 내가 내리고, 자잘한 결정은 모두 아내가 내린다는 것이었다. 지난 50년간 우리는 이 조약을 철저히 지켜왔다. 우리의 결혼생활이 순탄했던 것도 그 때문이라고 믿는다. 그런데 한 가지 이상한 점은 지난 50년간 큰 결정을 내릴 일이 단 한 번도 없었다는 것이다."

여우는 자존심 강한 남자들을 비난하는 것은 좋은 방법이 아니란 사실을 알기 때문에, 대신 다른 방법을 쓴다.

예를 들어 남편이 잠자리에 들면서 아무렇게나 양말을 벗어놓는다면, 뚜껑 없는 바구니를 방구석에 놓아두고 그가 더러워진 양말을 골인시킬 때마다 2점씩 주는 식이다.

화장실 휴지도 싸움을 일으키는 단골손님이다. 남편은 언제나 넉넉하게 둘둘 말아 쓰고, 마지막 남아 있는 손바닥만한 쪼가리, 그나마 반은 마분지에 눌어붙은 조각을 궁색하게 떼서 쓰는 건 아내 몫일 때가 많다.

일요일 아침, 그는 화장실에 들어가 신문의 스포츠 섹션을 펼치고 자리를 잡는다. 20분이 지나도 그는 휴지가 없다는 사실을 눈치 채지 못한다. 토요일의 야구경기 기사에 푹 빠져 있기 때문이다. 마침내 신문을 다 읽고 나면 그때서야 큰 소리로 아내를 부른다. 여우는 이때 부엌 쓰레기를 들고 조용히 밖으로 나간다. 어쨌든 햇살은 눈부시고, 꽃은 만발하며, 새들은 지저귄다. 결국 그는 아무 대답도 들을 수 없다.

다음은 여우 같은 아내들이 지키는 생활 신조다.

- 매사에 남편 말에 동의한다.
- 일체 설명하지 않는다.
- 그런 다음 자신에게 가장 이로운 행동을 취한다. 그러면 세상 살기가 훨씬 쉬워진다.

여우는 '죽음이 우리를 갈라놓을 때까지 당신을 사랑하고, 존경하며, 따를 것을 맹세합니다' 와 같은 식으로 남편에게 '순종' 을 맹세하지 않는다. 그녀는 자신만의 결혼 서약을 가지고 있다.

'당신을 사랑하고, 존경하며, 때로는 당신에게 동의하는 것처럼 보일 것을 맹세합니다.'

이것이 바로 진정한 힘을 얻는 방법이다. 여우는 남자가 모든 에너지를 그녀에게 쏟도록 만든다. 남자가 주도권을 쥐고 있다고 착각하게 만들면 그는 더 열심히 파트너의 요구에 부응하고, 그녀를 기쁘게 하기 위해 노력한다. 이것은 또한 그에게 지속적인 자극과 즐거움을 준다. 그러면 그는 실권을 그녀에게 넘길 것이고, 이쯤 되면 그녀는 필요한 모든 권력을 손에 쥐게 된다.

슈퍼우먼은 강한 여자가 아니라 외로운 여자다

일터에서 여성의 위치가 확고해짐에 따라, 남자들은 예전만큼 가정에서 자기 존재의 중요성을 느끼지 못하게 되었다. 아무리 열심히 일해도 그들은 과거만큼 '집안의 가장'으로서 인정받지 못한다. 미국의 소설가 에리카 종은 이렇게 말했다.

"여성 해방을 부르짖는 남자들을 조심하라. 그런 남자는 자신이 직장을 그만둘 것이다."

성공한 여성들은 종종 "내가 강하다는 게 왜 문제가 되는지 모르겠다"고 말한다. 그러고는 돌아서서 자기가 왜 좋은 남자를 찾지 못하는지 궁금해한다. 이유는 간단하다. 좋은 남자는 슈퍼우먼이 아니라 좋은 여자를 원하기 때문이다.

여우가 된다는 것은 여성성을 잃는다는 뜻이 아니다. 집안에서 남자를 깔아뭉개라는 뜻도 아니다. 그저 누구든 자신을 함부로 대하도록 내버려두지 않는다는 의미다.

슈퍼우먼은 '동등한' 남녀관계를 원한다. 분명 멋진 이론이지만, 실전에서 그런 관계는 곧 한쪽으로 치우치게 마련이다.

여우는 절대 발톱을 내보이지 않는다

그러므로 초반에 길을 잘 들여놓아야 한다. 앞으로 계속 하고 싶은 일이 아니라면 아예 시작조차 하지 말 것. 매일 저녁 식탁에 새로운 요리를 늘어놓고 싶지 않다면 저녁마다 음식을 만들지 말고, 혼자서 무거운 장바구니를 들고 낑낑대기 싫다면 그에게도 공정하게 장 보는 책무의 절반을 떠넘기자.

갓 교제를 시작했을 때 남자는 여자에게 잘 보이려고 혈안이 되어 있기 때문에 그녀의 부탁이라면 뭐든 들어준다. 이 시기를 그냥 흘려보내면 안 된다. 시간이 지난 후에는 그의 방식이 너무 많이 굳어져서 바꾸기 힘들다.

처음 몇 번은 여자의 집 앞에서 작별 인사를 하며 헤어질 것이다. 이 순간을 주목해야 한다. 하늘에는 별이 반짝이고, 달빛은 너무도 영롱하며, 두 사람은 밤하늘을 올려다보며 별똥별을 찾는다. 그 순간 그는 자신의 왼손에 부엌 쓰레기가 들려 있다는 사실조차 깨닫지 못한다.

남자가 무심코 제안하는 호의에는 거절하지 말고 가벼운 맘으로 응하는 게 좋다. 저녁을 사주겠다고 하면 가능한 요일을 말해주고, 슈퍼에서 뭔가 사갈 게 없냐고 물으면 과자봉지 하나라도 사오라고 부탁하는 것이다. 그에게 잔돈푼이나 쓰게 하려는 게 아니라, 상대의 욕구를 만족시켰다는 행복감을 주기 위해서다. 이런 상황에서 그는 마치 자신이 '운전대를 잡고' 있다고 착각한다. 실제 운전석에 앉은 건 여자인데도 말이다.

사랑에 서툰 여자들이 가장 많이 저지르는 실수 가운데 하나가 상대의 호의를 가볍게 받아들지 못하는 것이다. 그래서 파트너가 그녀에게 사랑을 표현할 기회를 '연출' 하지 못한다. 여우와 착해빠진 여자의 차이점은 바로 이 '연출력' 이다.

미셸은 어떤 남자와 데이트 중인데, 두 번째 데이트 때 그는 미셸에게 밤에 자기 집으로 오지 않겠냐고 물었다. 그녀는 즉각 '우둔한 척하는 여우 작전' 을 쓰기로 했다. 미셸은 그의 요청을 무시하고 아주 상냥한 어조로 물었다.

"오늘 만나기 힘들다면 이해할게요. 나중에 만나는 게 좋겠죠?"

미셸은 그의 질문을 완벽하게 비켜갔다. 그녀는 그에게 화를 내거나, 어떻게 하라고 명령하지 않았다. 그저 별로 그의 집에 가고픈 마음이 없다는 걸 의미하는 두 가지 의견을 제시하고, 그에게 선택하도록 했다.

우둔한 척하는 여우의 미덕은 상냥하고, 재치 있고, 언제나 공손하다는 것이다. 그래서 그녀와 함께 있을 때 남자들은 자기가 주도권을 쥐고 있다고 착각한다. 실상은 정반대인데도 말이다. 설사 우둔한 척하는 여우가 아무것도 모르는 것처럼 보일 때도 그녀는 모든 상황을 훤히 꿰뚫고 있다. 그리고 다음과 같은 협상의 성공 비결을 적절히 활용한다.

1. 자신의 의도를 발설하지 않는다.
2. 자신에게 불리한 조건이 나올 때는 언제든 빠져나갈 준비가 되어 있다.

우둔한 척하는 여우는 한마디 말없이 이 두 가지를 모두 실행한다. 제안이 마음에 들면 "저도 그러고 싶어요", 마음에 들지 않으면 "그러고 싶지만 피곤해서요"라고 대답한다. 남자가 신사처럼 행동할 때는 호의적으로 반응하고, 매너 없이 굴 때는 교묘히 빠져나가는 것이다.

남녀관계에서 지나친 솔직함은 필요악일 수 있다

우둔한 척 행동하면 남자가 약간 무례하게 구는 상황도 비켜갈 수 있다. 예를 들어, 첫 데이트 때 나란히 걸어가는데 그의 손이 허리 밑으로 내려왔다고 해보자. 이럴 때는 화들짝 놀라며 마치 자신의 실수로 신체 접촉이 일어난 양 "어머, 죄송해요"라고 말한다. 그러고는 옆으로 물러서면 그만이다.

탈리아가 경험한 것도 이와 비슷한 맥락이다. 남자친구와 식사를 마칠 무렵 웨이터가 계산서를 테이블로 가져왔다. 남자친구는 웨이터에게 농담조로 계산서를 탈리아에게 주라고 말하면서 그녀의 반응을 지켜보았다. 그녀는 머리를 한쪽으로 갸웃거리며 무슨 말인지 모르겠다는 듯 어리둥절한 표정을 지었다. 그러고는 후식을 다 먹을 때까지 계산서의 존재를 완전히 무시했다.

우둔한 척하는 여우는 난처한 상황에서 절대 말을 늘어놓지 않는다. 잠깐의 제스처(고개 갸웃, "그게 뭔데요?"란 반문)로 감정을 숨기고 위기를 빠져나온다.

반면에 착해빠진 여자들은 싫으면 싫다, 좋으면 좋다, 불쾌하면 불쾌하다고 자신의 감정을 그대로 쏟아낸다. 그 대가로 그녀가 얻는 것은 아무것도 없다. 단, 그 순간부터 남자는 그녀를 신경질적인 여자로 판단하고 떠날 궁리를 하게 된다.

폴의 얘기를 들어보자.

“여자들은 너무 감정적이에요. 화가 나면 끊임없이 불평을 늘어놓죠. 그것도 똑같은 내용을 셀 수 없이 반복하면서 말예요. 어떤 때는 그 잔소리를 듣느니 차라리 타이슨과 링 위에서 한판 붙는 게 낫겠다 싶을 때도 있어요.”

인간관계에서 지나친 솔직함은 독이 될 수 있다. 특히 자신의 감정에 지나치게 충실한 태도는 상대에게 이기적으로 비춰지고, 관계를 소원하게 만드는 결정적 요인이 되기도 한다. 그러므로 때로는 거짓으로 자신을 덮을 필요가 있다. 바로 여우처럼.

거짓으로 자신을 덮는 것은 상대를 기만하는 것과는 다르다. 순간적으로 그가 아주 꼴 보기 싫을 때 빽 소리부터 지르지 말고 감정을 냉정히 추스르자는 것이다.

남자는 당신의 고민거리나 퍼 담는 항아리가 아니다

여우는 지나치게 허물없이 굴면 무시당한다는 걸 안다. 따라서 관계 초반에는 자신의 진심을 어느 정도는 덮어둔 채 ‘최고의 크림이 자연스럽게 떠오르길’ 기다린다.

처음 만난 자리에서 그에게 맞추려고 애써 떠들어댈 필요는 없다. 긴장한 나머지 끊임없이 조잘대다 보면 말실수나 할 뿐이다. 쿨하면서도 차분한 태도를 유지하는 것이 그녀의 파워를 배가 시키는 것은 물론, 그의 눈에도 훨씬 매력적으로 보인다.

여우는 자신의 과거를 모두 드러내지 않는다. 그녀 자체가 빛나는 '보석'이기 때문에 한참 늘어놓아야 할 구질구질한 일 따위는 그녀에게 없다. 예전 남자친구가 어린애랑 바람이 나서 도망갔다느니, 학창시절 미팅 자리에서 불멸의 폭탄 기록을 세웠다는 사실을 그가 알 필요는 없다. 또한 싸움이 취미인 깡패 오빠가 있다는 사실도 알릴 필요 없다. 수준 높은 남자는 헤어진 남자친구가 여전히 당신을 스토킹하고 집착한다는 말에도 별로 감동받지 않는다.

캐묻기 좋아하는 남자를 만족시키기 위해 허벅지가 굵은 게 콤플렉스라든지, 남자와 마지막으로 데이트한 때가 언제인지 기억도 안 난다는 사실을 굳이 고백할 필요도 없다. 대신 좋아하는 와인 얘기나, 언젠가는 타히티로 여행을 떠나고 싶다는 얘기 등은 얼마든지 해도 된다. 직장생활의 어려움과 옛날 남자친구 얘기는? 안 될 말씀!

남자의 질문에 일일이 답하지 않고 그냥 넘어가는 것도 나쁘지 않다. 사실, 이 편이 더 바람직할 때도 있다. 어차피 말로는 자신이 어떤 사람인지 100% 보여줄 수 없다. 진정으로 중요한 말은 그 사람이 보여주는 '행동'이니까.

남자들과 대화하려면 슬그머니 접근해야 한다

남자에게 매달리지 않으면 관계의 진행 상황을 실시간으로 보도할 필요가 없어진다. 스스로에게 당당한 여자 앞에서 남자는 그녀를 장악하려는 시도를 깨끗이 단념하고, 그녀의 말을 고분고분 따른다. 그러므로 다음과 같은 문장은 당신 사전에서 지워버리는 게 좋다. '우리 얘기 좀 해.'

남자들과 대화를 나누는 방법에 대해 자넷이 명쾌한 해답을 들려줬다.

"남자들과 이야기하려면 슬그머니 접근해야 해. 일단 배를 불린 다음, 맥주를 먹이고는 자연스럽게 이야기를 꺼내는 거야. 뒷문으로 들어가는 거지. 남자들이 무슨 일이 일어났는지 미처 깨닫기 전에 들락날락거리는 거야."

대부분의 남자들은 '감상적인' 문제에 관한 한 집중력 장애를 일으킨다. 그래서 여자들이 그에게 서운한 점을 꼬투리 잡아 일장연설을 늘어놓으려 하면 채 2분도 지나지 않아 딴 생각을 시작한다. '이런, 점점 배가 고파오는군. 저녁에 뭘 먹지?'

남자들끼리의 커뮤니케이션 과정을 살펴보자. 두 남자가 얘기를 나눌 때는 우선 한 사람이 흉금을 털어놓으면, 다른 사람이 이에 반응을 보인다. 한 사람은 고개를 끄덕이고, 다른 사람은 불평을 늘어놓는다. 한 사람은 호통치고, 다른 사람은 그에게 맥주를 산다. 그들이 주고받는 대화라고 해봐야 고작 두세 문장이 전부다. 이것으로 그들 사이에는 유대감이 싹트기 시작한다.

남자를 이해하자. 분노를 터트려봤자 손해 보는 쪽은 여자다. 남자와의 대화는 기회를 봐서 아주 천천히, 은근슬쩍 시작해야 한다. 그것이 단숨에 기선을 제압하는 최선의 방법이다.

백마 탄 왕자는 오늘도
말똥 치우느라 바쁘다

여우는 몸집이 작은 동물이다. 그리고 동물의 왕국에서는 몸집이 작으면 큰 동물의 먹이가 되기 때문에 안전을 위해 주위를 살피는 습관이 몸에 배어 있다. 여우 같은 여자도 마찬가지다. 그녀는 남자들이 관계 초반에 자신의 의도를 '미화'한다는 걸 알기 때문에 긴장을 늦추지 않는 반면, 착해빠진 여자는 남자의 말을 모두 믿고, 결국 그로 인해 상처를 받는다.

남자들의 속마음	대신 남자들이 하는 말
"내가 원하는 건 뒤끝 없는 섹스뿐이야."	"이젠 진지한 관계를 맺고 싶어!"
"나랑 섹스해줘. 그러면 일주일 동안 네 애인인 척해주지."	"날 믿어."
"이봐, 다른 세 명의 여자랑 돌아가면서 만나도 될까? 투수를 바꾸듯 말이야."	"넌 정말 특별해."
"나랑 한 달만 놀아볼래?"	"형식적인 데이트에는 정말 신물이 나."

요점은, 설사 숨겨진 꿍꿍이가 있다고 해도 그는 절대 여자에게 발설하지 않는다는 것이다. 따라서 그의 본심을 알아내는 것은 전적으로 여자의 몫이다.

자신이 관찰당한다는 사실을 모를 때 남자는 본색을 드러낸다. 남자가 자기 자신이나 과거의 연애사에 대해 말하는 것은 여자에게 자신이 어떤 사람인지 알리고 싶어서인 경우가 많다. 이럴 때 여우는 진지한 질의/응답 시간을 갖기보다는 가볍게 넘겨버린다. 왜냐고? 진실은 농담에서 드러나기 때문이다. 그 남자에 대해 알아야 할 모든 것은 농담조로 하는 말이나 무방비 상태에서 불쑥 튀어나오는 말에 담겨 있다. 만일 그가 양의 탈을 쓴 늑대라면 어느 순간 수염이 삐져나오게 마련이다.

여우는 뭔가 이상한 점을 감지해도 그에게 알리지 않고 마음

속에 담아둔다. 린든 B. 존슨 대통령의 말처럼 그녀는 "입을 다물어야 할 때가 언제인지 알기" 때문이다. 여자가 간파한 사실들을 얘기하면 남자들은 "그건 당신이 잘 모르고 하는 말"이라거나 "신경과민"이라며 얼른 그녀의 주의를 돌려놓으려고 애쓴다.

여우는 시간을 두고 남자의 행동을 지켜보기 때문에 상황을 냉정히 판단할 줄 알고, 무엇보다도 자신의 동물적 본능을 믿는다.

여우는 위험을 감지하면 쏜살같이 빠져나온다. 그 남자가 내게 상처를 줄 사람이란 걸 알면 그 즉시 그의 곁에서 철수한다. 만일 그의 행동이 우연한 실수였다면 넘어가줄 수도 있지만 그렇지 않다면 게임 끝이다. 그 정도면 충분히 배운 셈이다.

처음 사귀기 시작했을 때는 되도록 즐거운 시간을 보내는 게 좋다. 단, 당신의 카드는 가능한 한 깊숙이 숨겨둬라. 가장 중요한 것은 여유를 갖는 것이다. 여유를 가지면 여우처럼 현명하게 처신할 수 있다.

착해빠진 여자들은 인생이 공평하다든가, 백마 탄 왕자님이 늘 자신을 보호해주리라는 환상에 빠져 중요한 방어기제를 상실해버린다. 반면에 똑똑한 여우는 스스로를 보호하며, 남자에게 그 책임을 떠넘기지 않는다.

정글의 모든 동물은 살아남기 위해 그렇게 한다. 그 덕분에 멸종되지 않는 것이다. 무엇보다도 여우는 자연의 첫 번째 법칙, 즉 모든 동물은 혼자 힘으로 살아가야 한다는 것을 잘 알고 있다.

4

길들여진 곰 VS 맹수를 쫓는 사냥꾼

한없이 헌신하는 여자와, 절정의 순간에 배신하는 남자의 속사정. 첫눈에 반한 사랑을 믿는가? 그를 위해 기꺼이 서커스단 곰처럼 재주를 부릴 준비가 되어 있는가? 하루 24시간을 그의 생각을 하고, 그의 전화를 기다리는 데 쓰는가? 모두 부질없는 짓이다.

"우리는 절대 두려움 때문에 협상하지는 않을 것이다."

존 F. 케네디

여자의 오버가 시작되는 순간, 관계의 수준은 곤두박질친다

흔히 착해빠진 여자들은 남자를 사귀기 시작하면 자신의 일이 덜 중요하다고 생각하며 일상적으로 하던 일들을 포기해버린다. 더 이상 친구들도 만나지 않고, 요가도 그만두고, 주말에 테니스도 치지 않는다. 한마디로 자신이 '솔로'였을 때 했던 일들에 시간을 할애하는 대신에 그녀는 다음과 같이 지낸다.

- 마사지 예약을 취소한다 … 그와 데이트하기 위해.
- 퇴근 후에 다니던 피트니스 센터를 그만둔다 … 그와 만나기 위해.
- 더 이상 친구들과 어울리지 않는다 … 그에게 '특별한 존재'라는 느낌을 주기 위해.
- 일정을 취소한다 … 그가 전화할지도 모르기 때문에.
- 수업에 집중하지 못한다 … 그에게서 문자메시지가 오는지 계속 확인하느라.
- 일에 집중하지 못한다 … 그에게서 이메일이 오지 않았는지 수시로 확인하느라.
- 자신의 커리어 관리를 소홀히 한다 … 그의 커리어를 밀어주고 내조하기 위해.
- 그와의 관계 이외에는 다른 꿈이 없다 … 그만이 그녀의 유일한 꿈이기 때문에.

포기한 만큼 본전 생각이 나는 게 인생이다

테레사가 전형적인 예다. 그녀는 일주일에 두 번씩 배우던 살사를 지금의 남자친구를 사귀면서 그만뒀다. 남자친구가 춤추는 것을 좋아하지 않았기 때문이다. 그녀는 테니스도 즐겨 쳤는데,

그는 치지 않았다. 그래서 취미로 치던 테니스도 그만뒀다.

대수롭지 않게 보인다고? 실상은 그렇지 않다. 테레사는 자신이 좋아하는 것들을 전부 포기했다. 여자들이 이렇게 행동하는 이유는 남자가 있는 그대로의 자신을 싫어하지 않을까 두렵기 때문이다. 포기하는 게 많이 쌓이다 보면 결국은 자아에 심각한 균열이 일어난다. 때가 되면 남자들도 이런 변화를 눈치 채게 되고, 그녀에 대한 마음도 식기 시작한다. 그녀가 독립심을 잃었음을 깨닫기 때문이다. 여자가 독립심을 잃고 나면 어떻게 될까?

남자 때문에 살사와 테니스까지 포기했던 테레사의 얘기를 들어보자.

"우리는 거의 매일 밤 만났고, 그러다 보니 데이트가 이내 습관처럼 굳어져버렸어요. 그는 잦은 만남이 부담스럽다는 말을 한 번도 하지 않았죠. 다만 예전처럼 자주 웃지 않았고, 더 이상 행복해 보이지도 않았어요. 난 점점 더 불안해져서 더욱 사랑스런 여자가 되려고 계속 노력했죠. 그저 우리가 처음으로 돌아가길 바라는 심정으로요."

어떤 여자들은 뭔가를 포기한 대가로 더 나은 것을 받으리라 기대하며 자기 인생의 주도권마저 포기해버린다. 그러나 기대했던 것을 받을 때가 오면 끝내 실망하고 만다. 그녀는 아무런 보상도 받지 못할 뿐 아니라 차츰 고갈되어간다. 자기 삶의 모든 것을 포기한 후에야 비로소 그녀는 남자에게도 똑같은 걸 요구하기 시

착해빠진 여자, 그녀의 주인은 남자다.	여우 같은 여자, 그녀의 주인은 그녀 자신이다.
지금까지 자신의 인생에서 중요하게 생각해온 것들을 내팽개친다.	언제나 자신이 중요하게 생각하는 걸 우선시한다.
그의 기분을 살피고 그에게 맞추려고 안간힘을 쓴다.	자기 자신을 안내자로 삼는다. 남자에게 지루할 틈을 주지 않는다.
그가 자신을 인정하는지에 촉각을 곤두세우며, 그의 행복에 신경 쓴다.	그의 의견에 집착하지 않으며, 그에게 인정받으려고 애쓰지 않는다.
남자가 자신에게 빠져 있을 때는 기분 좋다가, 자신을 무시하면 기분 나쁘다.	다른 사람의 기분에는 별로 영향을 받지 않는다. 대신 테니스를 치러 간다.
자신의 취향은 깡그리 무시한다.	자신의 취향을 가장 중요하게 생각한다.
우선 너무 많이 베푼 다음, 나중에 보상받으려고 협상한다.	그녀는 오직 보상을 받을 때만 베푼다.

작한다. 그가 가족과 친구들을 만나는 대신 자기와 데이트를 하길 바라고, 모든 여가 시간을 함께 보내야 한다고 고집을 부리며, 심지어 헬스클럽까지 따라가고 싶어한다.

반면에 여우는 이런 부담을 주지 않기 때문에 남자들은 더더욱 그녀 곁에 머물고 싶어한다. 여우는 계속 자기 리듬대로 생활하면서 삶의 균형을 유지한다. 매주 취미로 듣는 도예 수업 때문에 만나지 못하겠다고 말하는 여자를 상상해보라. 그 말을 들은 남자는 머리를 긁적이며 생각한다.

'나를 만나는 것보다 도예 수업이 중요하다고?'

결국 그는 그녀를 그리워하고, 항상 그녀가 보고 싶어 못 견딜 지경에 이른다. 그가 있든 없든 자신의 삶을 사랑하는 바로 그때, 남자는 있는 그대로의 그녀를 받아들이고 존중한다.

여우는 능숙하게 조절의 미학을 연출할 줄 안다

여자가 스스로를 절제하며 평상심을 유지하는 한, 남자는 그녀를 존중한다. 여자가 자기 자신에 대한 통제권을 가지고 있을 때 남자는 자동적으로 그녀의 취향을 우선시하고, 그녀를 기쁘게 해줄 방법들을 열심히 연구한다.

여자들은 원래 계획을 취소하는 일이 많지만 남자들은 '남자들끼리의 모임'이나 일, 심지어는 혼자만의 휴식과 음식까지 절대 포기하지 않는다. 마찬가지로 그들은 자기 자신에게 소중한 것들을 고수하는 여자를 존중한다. 남자가 미리 예약해놓은 이발사에게 전화해서 이렇게 말하는 걸 들어본 적이 있는가?

"샘, 아무래도 2시 15분 예약을 취소해야 할 것 같아. 샐리와 좀더 친밀한 시간을 보내야 하거든."

이런 일은 하늘이 두 쪽 나도 일어나지 않는다. 2시 15분이 되면 그는 어김없이 샘에게 달려간다. 남자들은 연애에서 현실로 기어를 바꿀 줄 알며, 여우들도 그렇다.

자동차 경주를 할 때도 잠시 멈춰 타이어를 갈아줘야 하는 법이다. 그렇지 않으면 계속 트랙을 질주하지 못하고, 방향도 통제하지 못한 채 중심을 잃고 만다. 남자들은 대개 장기전에 약하다. 남자에게 속도를 조절하라고 하면 그는 아마 전속력으로 질주해 벽을 들이박을 것이다. 그렇기 때문에 속도 조절은 되도록 여자 쪽에서 해야 한다. 그렇지 않으면 그는 그녀에게 서커스단의 곰처럼 재주를 부리라고 시킬 것이다.

거듭 말하지만, '곰' 신세를 피하기 위해서는 조절의 미학이 필요하다. 처음 사귀기 시작했을 때는 그의 데이트 요청을 3분의 2만 수락하고, 나머지 3분의 1은 자신을 위해 투자해야 한다. 이건 '튕기는' 차원이 아니다. 현실감을 유지하고 그를 만나기 전에 해왔던 일상적인 일들을 계속 하도록 스스로를 채근하는 것이다. 일단 삶의 리듬을 잃어버리면 심리적 균형이 깨지게 되고, 그러면 여자는 어쩔 수 없이 그에게 매달리게 되어 있다.

게일은 조절의 달인이었다. 그녀는 종종 초인종을 꺼버리고, 전화도 받지 않았다. 오후가 되어 피곤해지고, 저녁에 집에서 쉬고 싶으면 데이트를 취소해버렸다. 그러고는 와인을 음미하며 독서를 즐기거나, 자신이 좋아하는 TV 프로를 봤다. 게일 주위에는 늘 멋진 남자들이 득실거렸다.

감정을 조절하는 능력은 결정적 순간에 빛을 발한다

여우 같은 여자가 된다는 것은 거만한 분위기를 풍기는 것과 다르다. 언론매체에서 떠들어대는 것처럼 '세련되고, 쿨하고, 도도해' 보이는 것은 중요하지 않다. 파워는 자기 자신을 통제하는 데서 나온다.

미국의 시인 그레고리 코르소는 이런 말을 했다.

"길모퉁이에 서서 아무도 기다리지 않는 것이 파워다."

아무도 기다리지 않는 것은 누구도 필요로 하지 않기 때문이다. 이런 식으로 접근한다면 투수석에 선 남자는 언제나 그녀의 수준을 만족시키려고 노력할 것이다. 남자에게 인정받으려는 태도를 버릴 때 비로소 그녀의 욕구가 충족되는 것이다.

린은 캐빈이란 성형외과 의사와 이제 막 데이트를 시작했다. 하루는 린이 캐빈을 위해 저녁을 준비했는데, 캐빈이 데이트 직전에 전화해 갑자기 다른 의사와 당직을 바꿨다면서 저녁 약속을 취소했다. 린은 이미 공들여 식사 준비를 한 상태였다. 그의 전화는 겨우 약속 시간 30분을 남겨두고 걸려왔다. 그가 당직을 바꾸기로 한 직후에 좀더 일찍 전화했더라면 린이 애써 저녁을 만들 필요가 없었다.

그런데 여기서 린은 서커스단 곰처럼 재주 부리는 실수를 저질렀다. 다음날 저녁에 다시 식사를 준비하겠다고 제안했던 것이다.

남자가 무시할 때마다 여자가 받아들이면, 그는 더 이상 그녀를 존중하지 않는다. 예정대로 린은 다음날 저녁에 다시 요리를 했고, 그는 조금도 고마워하지 않았다. 린은 그 일로 상처를 받았고, 결국 둘은 얼마 후에 헤어지고 말았다.

여우는 다른 사람에게 맞추기보다 자기 자신을 우선시한다. 우리의 목표는 재수 없는 여자가 되는 것이 아니라 명쾌하게 표현하는 능력을 갖는 것이다. 남자는 쓸데없는 소리를 주절주절 늘어놓지 않고, 원하는 걸 직접적으로 말하는 여우를 존경한다. 예를 들어, 남자가 약속에 늦었다면 여우는 화가 날 것이다. 상대가 자신에게 폐를 끼쳤기 때문이다. 화를 내는 것은 감정적으로 행동하는 것과 다르다. 그 상황에서 여우라면 이런 식으로 말한다.

"내 시간을 낭비하게 하지 말아요. 부탁이니 늦을 것 같으면 미리 알려줘요. 멍청하게 앉아 있을 시간에 할 일이 많거든요."

다음번에도 그가 똑같이 행동한다면 그녀는 15분에서 20분 정도만 기다린 후 그냥 가버린다. 여우에게는 자신의 시간과 우선순위가 무엇보다 중요하다. 그녀는 어떤 경우에든 자기 자신을 팽개치지 않는다.

쿨한 '성깔'이 있을 때 여자는 자기 인생의 주인이 될 수 있다. 아이러니하게도 그때 비로소 그의 주인도 될 수 있다.

길들여지길 거부하는
여자에게선 빛이 난다

남자들은 지나치게 감상적인 여자를 감당하지 못한다. 남자들로서는 오히려 쿨한 여우 쪽이 상대하기 편하다. 여우들의 태도는 남자들끼리 대화할 때 나오는 거친 태도와 비슷하기 때문이다.

남자들은 특히 만난 지 얼마 되지 않았을 때 너무 감상적인 이야기를 늘어놓는 여자들에게 질겁한다. 어떤 남자는 몇 번 만나지도 않은 여자에게서 최루성 시가 적힌 카드를 몇 차례 받고는 그녀에게 정이 떨어졌다고 말했다.

"그 시들은 하나같이 길고 끔찍했어요. '그대에 대한 나의 사랑' 이나 '내 가슴은 사랑으로 부풀어 올라 내 갈비뼈를 눌러옵니다' 하는 식이었죠. 그리고 시를 낭독할 때마다 어찌나 울어대던지, 그후로 그 여자의 전화를 피하기 시작했어요."

또 다른 남자는 3주 동안 한 여자를 사귀는 동안 '사랑' 에 질려버렸다고 말했다.

"여자에게서 30초마다 사랑한다는 말을 듣고 싶어하는 남자는 없을 거예요. 그런데 이 여자는 계속해서 그 말을 하는 거예요. 마치 앵무새와 데이트를 하는 기분이었죠. 사랑해…… 사랑해…… 사랑해…… 사랑해……!"

남자들이 둔한 것 같아도 그녀가 자신에게 혈안이 되었는지 아닌지는 금방 알아챈다. 유난히 남녀관계에 해박하거나("남자들은 보통 이런 거 좋아하잖아"), 과잉 친절을 베푼다거나("자기야, 내가 떠먹여줄게. 아~해봐!), 주위에 온통 시집 못 가 안달하는 노처녀 친구들뿐이라면 그녀를 의심하기 시작한다.

쿨하다는 것은 스스로를 패배자로 만들지 않는다는 것이다. 여자가 애인 만들기에 혈안이 되어 있음을 남자가 느끼는 순간, 그녀의 도전은 끝난다. 만약 실수로 그런 모습을 보였다면 자신이 마냥 남자만 기다리는 여자가 아님을 그에게 확인시켜주고, 그를 되찾아야 한다. 남자보다 중요한 것은 얼마든지 많다.

반복해서 재주를 넘는 것은 모든 것을 내주고 있다는 신호다

다음은 남자와 쿨한 관계를 유지하기 위해 여자들이 지켜야 할 몇 가지 규칙이다.

- 첫 데이트 약속을 정하기 전에 전화로 몇 시간씩 수다를 떨지 마라. 계획을 정하거나 만날 약속만 잡고 공손하게 전화를 끊는다.
- 처음에는 진지한 대화를 나누지 마라. 카타르시스나 치유, 트라우마, 내면의 아이와 같은 상담 용어는 피하라. 남자에게 닭고기 수프를 만들어주면서 "이 수프가 당신의 영혼을 달래줬으면 좋겠어요"라는 식으로 말하지 마라.
- 당신이 전생에 어떤 사람이었고 다음 생에 어떤 사람으로 돌아올 계획이라는 이야기는 삼가라. 당신을 이상한 여자로 생각할 것이다.
- 처음 사귈 때는 매일 만나는 것을 피하라. 일주일에 한두 번 만나는 것부터 시작한다.
- 그가 전화하지 않는다고 삐지거나 징징거리지 마라. 가끔은 당신이 혼자서 뭘 하는지 그가 궁금해하도록 만들어야 한다.
- 근사한 레스토랑에 갔을 때 당신 몫으로 '오일과 식초를 곁들

인' 셀러리 줄기만 시킨 다음, 새처럼 그의 요리를 깨작거리지 마라. 그에게 훌륭한 테이블 매너를 보여주려고 너무 긴장하거나 걱정하지도 마라. 삶을 즐길 정도의 식욕을 보이는 것은 심신이 건강하다는 신호다.

- 첫 데이트 때 어린 시절부터 헤쳐온 역경을 줄줄이 털어놓지 마라.
- 그의 결점을 고쳐주려고 하지 마라. 어떤 여자는 남자친구에게 《모리와 함께 한 화요일》을 사다주면서 일 중독증을 고치는 데 도움이 될 거라고 말했다. 상대의 심리를 지나치게 분석하는 것 역시 피곤한 여자라는 인상을 준다.
- 그가 남자친구들과 어울릴 때는 따라가지 마라. 당신은 그의 '남자친구'가 아니다.
- 어떤 것에든 중독된 남자는 만나지 마라. 자신의 문제는 자신이 알아서 처리하도록 두자. 자기 문제도 처리하지 못하는 남자라면 당신을 잘 돌봐줄 턱이 없다.
- 그에게 두 번 이상 연달아 전화하지 마라. 설사 그의 자동응답기가 빨리 끊긴다 해도 긴 메시지를 남기지 마라. 다정하면서도 짧고 간략하게 메시지를 남겨라.
- 식사와 수면, 운동을 중단하지 마라. 일상생활을 계속 유지하라. 부담 없이 할애할 수 있는 시간 외에 그가 당신을 만나고 싶어할 때는 함께 개를 데리고 산책하거나, 주말에 자전거를

타러 가는 등 당신의 일상으로 그를 초대해보자.

- 사랑을 구걸하지 마라. 그의 비위를 맞춰가며 사랑을 얻어내려 하지 마라. 그가 퉁명스럽게 굴 때는 당신도 애정 표현을 자제하라. 당신을 무시할 때는 더더욱 그의 비위를 맞춰선 안 된다.
- 전화의 노예가 되지 마라. 그가 남긴 음성메시지를 친구에게 들려주며 낱낱이 분석하지 마라. 큰 그림에 집중하라. 그가 당신 삶을 더욱 윤택하게 해주는가? 그를 만나고 나면 기분이 좋은가? 만일 그렇지 않다면 그의 메시지를 듣기 전에 아예 '삭제' 버튼을 눌러라.
- 데이트한 첫 주에는 그의 전화번호를 외우지 마라. 또 전화를 걸어 그의 목소리를 듣고 끊는 짓도 하지 마라. 그는 그게 당신이라는 걸 안다.
- 무엇보다 당신 삶에 계속 초점을 맞추려고 노력해야 한다. 그것이 남자의 눈에 계속 쿨하게 보이는 방법이다.

자신이 없을수록 그녀의 재주넘기는 난이도를 더해간다

남자들은 말한다. "우리는 자연스러운 여자를 좋아한다"고. 그건 진심이다. 여기서 자연스럽다는 것은 순식물성 립글로스를 바르고, 유기농 주스만 마시는 채식주의자의 생활을 의미하는 게 아니다. 뭐든 지나치면 매력이 없다. 적당한 게 제일 좋다.

여자가 주저 없이 재주를 부릴 때 연인 관계가 어떻게 전개되는지 살펴보자. 미키는 휴가차 사라가 사는 도시에 놀러왔던 남자로, 사라는 그와 딱 한 번 만났다. 그후 그들은 한 달 동안 이메일과 전화로 연락을 주고받았다. 사라는 미키야말로 자신의 천생연분이라 확신하고, 다시 그를 만나기 위해 비행기 티켓을 끊었다.

비행기 티켓은 400달러였다. 미키는 숙박비는 자기가 내겠다고 했으나, 알고 보니 40달러짜리 싸구려 모텔이었다. 사라가 도착한 후 두 사람은 모텔에서 사랑을 나눴다. 그런 다음, 그는 방을 예약할 때 받은 공짜 쿠폰을 가지고 사라를 카페에 데려갔다. 그러고는 모텔로 돌아와 그가 좋아하는 프로야구를 보면서 그들은 하룻밤을 지냈다. 정말 잊지 못할 순간 아닌가? 전화도 없고, 촛불도 없고, 감미로운 음악도 없다. 대신 남자의 한쪽 눈은 TV를 향하고, 귀로는 점수를 듣고 있었다.

"투 스트라이크 쓰리볼에 주자는 만루입니다…… 스트라아아이크!"

정글에서 자란 남자도 TV를 보면서 섹스를 하는 게 무례하다는 것쯤은 안다. 결국 이틀 밤을 보낸 뒤 두 사람은 한시라도 서로에게서 벗어나고 싶어 못 견딜 지경에 이르렀다.

자, 이제 재정적인 차원에서 따져보자. 미키는 실컷 먹고, 실컷 섹스하고, 거기다 야구 중계까지 봤다. 40달러치곤 남는 장사였다. 반면 사라의 청구서는 400달러가 넘었다. 그런데 그녀에게 남은 것이라고는 비행기에서 받은 땅콩 두 봉지뿐이다.

여우는 절대 그런 일을 당하지 않는다. 남자에게 오라고 하거나, 설사 간다 해도 편리한 곳에 위치한 호텔을 잡아달라고 요구한다.

곰처럼 재주를 부리는 건 자신이 없다는 반증이다

착해빠진 여자들이 온갖 재주를 부리고, 물구나무를 서고, 남자에게 과잉 친절을 베푸는 이유는 그 남자가 자신의 빈 곳까지 채워줄 거란 환상 때문이다. 불꽃이 꺼지는 것을 막기 위해서는 남자의 배터리가 충전되도록 가끔씩 그의 영역에서 살짝 비켜나 있는 것이 좋다. 그러나 착해빠진 여자들은 잠시의 여유도 갖지 못한다. 그가 천생연분이며, '영혼의 동반자' 라는 착각 때문이다.

여자들이 매달리는 또 다른 이유는 두려움 때문이다. 착해빠진 여자의 대명사 마리의 얘기를 들어보자.

"난 남자친구 말이라면 절대 거절하지 못해요. 대개 저녁마다 차를 몰고 그의 집 앞으로 가서 그가 퇴근할 때까지 차 안에서 기다려요. 그러고는 그와 늦은 저녁을 먹고, 밤늦게까지 함께 지내죠. 다음날 아침에 일찍 일어나야 하는데도 말이에요. 덕분에 다음날이면 완전히 기진맥진하죠."

나는 마리에게 왜 "오늘 밤은 안 되겠어. 자기야, 난 휴식이 필요해."라고 말하지 못하냐고 물었다. 그녀는 이렇게 대답했다.

"그러면 그가 토라지니까요. 내 마음 깊은 곳에서는 그가 다른 여자를 사귈까봐 두려워하는 것 같아요."

여우는 남자를 잃을지도 모른다는 두려움에 절대 휘둘리지 않는다. 남자를 잃었을 때보다 자기 자신을 잃었을 때의 대가가 더 크다는 걸 알고 있기 때문이다. 반면에 착해빠진 여자는 남자와의 관계 속에서 매 순간 자기 자신을 포기한다. 이런 사소한 일들이 점점 쌓이다 보면 그녀 스스로가 고갈되어가는 걸 느낀다. 착해빠진 여자가 곰처럼 재주를 부리기까지 일련의 사이클을 살펴보자.

- 그녀는 남자가 주는 것이 절대적으로 중요하다는 근시안적 시각을 키워나간다.
- 그런 환상 때문에 그녀는 일상적으로 처리해야 하는 일들을 포기한다.
- 그녀는 점점 지쳐가지만, 그가 자신의 빈 곳까지 채워줄 바로 그 남자라 믿으며 더욱 열심히 노력한다.
- 그는 그녀가 죽도록 노력하는 걸 눈치 채고, 자신이 의무를 점점 더 게을리 한다.
- 그녀는 그 사실을 알고, 더 열심히 재주를 부린다.
- 악순환은 계속되고, 그녀는 더욱 고갈되어간다.

이런 악순환에서 벗어나는 길은 환상을 버리는 것뿐이다. 뭔가를 주고 난 후에 화가 날 것 같다면 아예 주려는 시도조차 하지 않는 게 좋다.

유치원 때 배웠던 교훈들을 기억하는가? 이론상으로는 근사하지만, 실생활에서는 약간 수정할 필요가 있다.

유치원에서 배운 교훈	실생활에서 갖춰야 할 태도
대접받고 싶으면, 먼저 남한테 베풀어라	호의를 베풀기 전에 먼저 그럴 가치가 있는 사람인지 확인하라.
사랑은 받는 것보다 주는 것이 낫다.	베푼 만큼 받는 것이 가장 이상적이다.
남보다 가족을 먼저 사랑하라.	연애하는 남자는 아직 가족이 아니다.
네 이웃을 사랑하라.	자신을 먼저 사랑하라. 그러면 이웃은 네가 곁에 있는 사실에 더욱 행복해하리라.

남자한테 빠진 여자들은 언제 어디서든 재주를 넘는다

일과 휴식 사이에서 팽팽한 외줄타기를 하는 여자가 있다. 그녀는 지쳐 있다. 그때 남자가 그녀에게 데이트를 신청한다.

"수요일 어때?"

그녀는 목요일 아침에 할 일이 있기 때문에 수요일은 곤란하다고 말한다. 그러자 그가 다시 묻는다.

"그럼 화요일이나 목요일은?"

이번에는 그녀도 수락한다. 그녀는 쉬고 싶은 자신의 욕구를 드러내지 않는다. 더 심각한 점은 그녀가 무리하고 있다는 사실이다. 그녀는 그를 만나지만, 과로로 인해 신경이 예민해진다.

여우는 그런 무리한 코스 대신에 좀더 쉬운 길을 택한다. "그냥 주말에 만나는 게 좋겠어요"라고 말하는 것은 조금도 어려운 일이 아니다. 그러는 편이 두 사람 모두에게 더 낫다.

캐시의 데이트 상대는 처음 만난 자리에서 그녀가 원하는 요리를 시키도록 놔두지 않고, 계속 "이걸 먹어봐야 해요"라고 고집을 부렸다. 캐시는 정중하면서도 단호하게 행동했고, 결국 남자도 물러섰다. 그런 다음, 그는 와인 한 병을 주문했다. 그날은 더구나 주말이었기에 캐시가 음주운전은 하고 싶지 않다고 말했음에도 불구하고 그는 그녀의 잔에 와인을 따랐고, 두 사람은 건배했다. 캐시는 아무 말도 하지 않았다. 그들은 잔을 부딪쳤고, 캐시는 우아하게 한 모금 마신 다음에는 입도 대지 않았다. 그녀의 잔은 조금도 줄어들지 않았다.

여기서 중요한 점은 캐시가 자신의 입장을 구구절절 설명하지 않았다는 것이다. 그녀는 그저 자신이 하고 싶은 대로 행동했다. 그에게 자신을 존중해달라고 부탁하지 않고, 스스로를 존중했다.

또 다른 여성의 경우를 보자. 만난 지 얼마 되지 않았을 때 남자가 그녀에게 새벽 4시에 일어나 공항까지 태워달라고 부탁했다. 그는 열심히 머리를 굴리며 계획을 짰고, 그녀는 잠자코 듣고 있었다.

"당신은 새벽 4시에 일어나 5시에 나를 픽업하고, 6시에 공항으로 가는 거예요. 7시에 집으로 돌아와 샤워한 후 8시까지 회사에 가는 겁니다. 완벽하죠?"(서커스단 조련사들은 동물들에게 어떤 묘기를 시킬지 미리 정해놓는다.)

그의 머릿속에선 꼭두새벽에 그녀를 침대에서 끌어내느니 차라리 7달러를 내고 셔틀버스를 이용해야겠다는 생각 따위는 전혀 떠오르지 않는다. 그녀는 공손하게 말했다.

"미안하지만 전 바빠서요."

그러자 그가 말했다.

"바쁘다니 무슨 말입니까? 뭘 하느라 바빠요? 자느라고?"

그녀는 미소를 지으며 깍듯이 대답했다.

"네."

남자가 '재주 부리기'를 부탁했을 때 이유를 막론하고 곧이곧대로 들어줘선 절대 안 된다. 남자가 "난 정신적인 면을 더 중시하는 사람이에요"라고 말해도 믿지 마라. 말로는 정신적인 면을 중시한다고 하면서 '신성치 않은 보상'을 원하는 경우가 태반이다.

곰들이 재주를 넘는 또 다른 형태는 언제 걸려올지 모르는 남자의 전화에 모든 것을 맞추는 것이다. 여자친구에게 만나자고 전화했다가 지금 사귀는 남자에게서 전화가 올지 안 올지 기다려봐야 한다는 대답을 들은 적이 있을 것이다.

푸대접을 받는 여자들은 늘 있게 마련이다. 그런 여자들은 남자를 만날 가능성이 '한 치의 의심도 없이' 배제되기 전까지는 아무 계획도 세우지 않은 채 기꺼이 '대기조'를 자처한다. 한참 기다리다가 마침내 다시 전화해선 "좋아, 만나자"라고 말하지만, 그때는 이미 밤 10시다.

열아홉 살인 칼라는 맨 얼굴로 잡지의 커버에 실려도 손색이 없을 만큼 예쁜 얼굴을 갖고 있다. 하루는 그녀가 펑펑 울면서 남자친구인 바트에 대해 이야기했다. 바트가 그녀의 진심을 몰라주고 자꾸 엇나가려 한다는 것이었다.

이제 바트의 속내를 들어보자.

"칼라가 날 사랑하는 것만큼 난 그 애를 사랑하지 않아요."

그러면서 칼라가 빨래한 얘기를 들려주었다.

"정말 어이가 없더군요. 칼라가 뭐랬는지 아세요? 내 빨래를 다하고 나서 집에 가겠다는 거예요. 빨래더미가 세 개나 있었는데 그 애는 그걸 다 빨았어요. 만약 그 애가 빨래 따위는 거들떠보지도 않고 그냥 집에 가버렸다면, 난 진심으로 그 애를 존경했을 거예요."

남자친구 집에 갔을 때 어떤 집안일도 하지 마라. 당신이 빨아야 할 옷은 당신의 옷뿐이다. 그가 청소를 도와달라고 부탁하면 교묘하게 둘러대라. 하녀들도 일요일에는 쉰다고 말하라.

이상적인 관계에선 별다른 노력을 기울이지 않아도 행복하다. 이건 남자에 관한 문제가 아님을 명심하라. 그냥 흘려버리기엔 너무도 소중한 당신의 인생에 대해 말하고 있는 것이다. 마음 편히 할 수 있는 일들만 하라. 당신이 선택한 관계, 혹은 당신의 삶 안으로 들여놓을 사람에 관한 문제라면 특히 그렇다. 투자 면에서도 그쪽이 훨씬 낫다. 특히 품위에 관한 한.

5

잔소리는 남녀 모두에게 재앙이다

남녀의 커뮤니케이션 차이에서 오는 갈등. 여자는 잔소리로 남자를 다스리려 하고, 여자는 잔소리를 배제한 행동에만 반응한다. 지금까지 수십 번 설교를 늘어놓았지만 개선의 기미는커녕 오히려 악화일로였다면, 오늘부터 전략을 바꾸자.

"훌륭한 행동을 보여주는 것이 훌륭한
말을 하는 것보다 낫다."

벤저민 프랭클린

남자는 잔소리를 들으면 십대 반항아로 돌변한다

여기, 남자를 즐겁게 해주려고 '안간힘을 쓰는' 여자가 있다. 남자가 퇴근해서 돌아오면 여자는 대화를 나누려고 한다. 그러나 그는 "피곤해"라는 말 한마디로 여자의 입을 막아버린다. 그녀는 남편을 위해 저녁을 준비하고, 그는 TV 앞에 앉아 야구 중계를 보면서 밥을 먹는다. 여자는 예쁘게 보이려고 노력하지만, 그는 눈치 채지 못한다. 그러다 홈쇼핑 채널에 수영복 모델들이 등장하면 흐리멍텅하던 그의 눈에 생기가 돌기 시작한다.

'먹을 것 좀 주세요' 라고 쓴 종이를 들고 서 있는 길거리의 노숙자처럼, 그녀도 '관심 좀 주세요' 라고 적힌 피켓을 들고 있는 것과 같은 상황이다.

이런 행동은 자기 자신을 더욱 초라하게 만들 뿐 아니라 사랑의 불꽃을 되살리는 데도 별 효과가 없다. 이제는 새로운 경영법을 채택해야 한다. 예전에는 남자의 무관심을 잔소리로 다스렸지만, 잔소리를 하면 할수록 그는 더 깊은 내면으로 숨어버렸다. 그러므로 새로운 경영법을 통해 그에게 신선한 자극을 주고 전세를 역전시켜야 한다.

여자가 잔소리를 하면 남자는 그녀를 피해 주파수를 돌려버린다

기본적으로 모든 남자는 아무리 나이를 먹어도 내면에 세 살짜리 어린아이가 살고 있다. 그 점을 늘 염두에 두는 게 좋다. 그런데 이 꼬마는 '감사의 마음 결핍 장애' 를 갖고 있다. 여자가 잔소리를 할 때마다 꼬맹이가 깨어나고, 30초 이내에 '사내아이 호르몬' 이 분비된다.

이것은 라디오의 주파수를 바꾸는 것만큼이나 쉽다. 30초 후면 그는 주파수를 돌려, 잔소리가 끝날 때까지 그녀에게 다시 맞추지 않는다. 설사 그의 바지에 불이 붙어 방 안이 연기로 가득 찬다 해도 상관없다. 그는 그녀가 하는 말은 한마디도 듣지 않는다.

남자는 두 번 이상 반복되는 말은 뭐든 잔소리로 받아들인다. 여자가 잔소리를 시작하면 남자는 엄마에게 혼나는 듯한 기분이 들고, 그때마다 고집쟁이 십대 소년처럼 반항한다. 그러므로 이런 상황에서는 말이 아닌 행동으로 커뮤니케이션을 하는 쪽이 더 효과적이다.

여자들은 종종 이렇게 말한다.

"남자애들은 정말 귀엽잖아요. 그런데 뭐가 변하는 거죠?"

프로이드에 따르면 소변 가리는 훈련을 하는 시기에 문제가 생긴다고 한다. '사내아이 호르몬'의 기원과, 남자들이 어떤 식으로 여자를 대기조 취급하는지 이해하는 데는 세 살배기 어린아이의 행동을 살펴보는 게 도움이 된다. 세 살배기들은 엄마에게서 독립하고 싶어하면서, 동시에 엄마가 자신의 영역 안에 계속 머무르고 있다는 확신을 얻고 싶어한다. 반항 끼가 다분한 꼬마는 뒤뚱거리며 장난스럽게 모퉁이를 돌고 멈춘 다음, 다시 모퉁이를 돌아 엄마가 아직 그 자리에 있는지 확인하는 행동을 반복한다.

성인 남자의 경우에는 중간에 한 단계가 더 있다. 모퉁이를 돌아간 후, 다시 되돌아오기 전에 '이제 엄마가 어떻게 행동할지' 어깨 너머로 살핀다. 화를 내는지, 히스테리를 부리는지, 아니면 코마 상태에 빠졌는지 확인한 다음, 그는 한 발짝 다가갈지 아니면 더 멀리 떨어질지 결정을 내린다.

잔소리는 그녀가 매달린다는 증거일 뿐이다

잔소리는 정말 부질없는 짓이다. 여자가 잔소리를 하면 남자는 계속 앞으로 나아가도 그녀가 여전히 그 자리에 있으리라는 확신을 갖게 된다. 여자에게 다음과 같이 솔직히 털어놓는 남자는 세상에 없다.

"우리 관계에 더 이상 노력하고 싶지 않아. 하지만 당신이 계속 식사를 준비해주고, 내가 원할 때마다 섹스에 응해주면 좋겠어. 솔직히 말하면, 난 지금도 약간 흥분한 상태야. 우리 할래?"

그런데 의외로 많은 여자들이 이 어처구니없는 요구에 매일, 그것도 쉴 새 없이 응하고 있다.

대체 뭐가 잘못된 걸까? 처음 사귈 때 그는 자동차 문을 열어주고, 식당에서 그녀가 먼저 주문하게 하는 등 자신이 신사임을 증명하려고 열심이었다. 그러다가 아무 협의 없이, 더욱이 그녀의 동의도 없이 나사가 차츰 풀리기 시작한다. 그녀는 모든 것이 완전히 틀어진 후에야 무슨 일이 일어났는지 비로소 깨닫고, 사태를 바로잡기 위해 잔소리를 시작한다.

일단 남자가 '귀차니스트' 모드에 돌입했음을 깨달으면 여자들은 쇳소리를 내며 항의한다. "당신은 더 이상 외식도 안 시켜주고, 꽃도 사주지 않잖아요" 혹은 "우린 함께 보내는 시간이 없어요"라고. 이런 투정은 남자에게 우선권이 있다는 걸 인정할 뿐이다. 이제 그는 어떤 노력도 기울이지 않는다. 곁에 있기만 해도 그녀가 충분히 만족할 거라고 믿기 때문에 "함께 있으니까 됐잖아?"라며 어물쩍 넘어간다.

세 살배기 아기를 다시 엄마에게 돌아오게 하는 방법은 엄마가 그의 영역 밖으로 나가는 것이다. 잔소리는 여자를 남자의 영역에 계속 묶어둔다. 남자가 좀더 베풀어주길 바라든, 좀더 노력해주길 바라든, 좀더 관심을 가져주기를 바라든 간에 발이 묶인 채 계속 그를 기다리고 있기 때문이다.

남자를 구속하는 것보다 나쁜 게 있다면, 그건 바로 여자 스스로 그에게 구속당하는 것이다.

엄마는 언제든 현관문만 열면 볼 수 있는 존재다

남자가 여자의 존재를 당연시하는 것은 그녀에게서 어머니나 할머니한테 느꼈던 것과 똑같은 사랑을 느끼기 때문이다. 이제 여자는 남자에게 '늘 곁을 지키는 믿음직스런 존재'가 되어버린다. 여자가 아무리 목 터져라 악을 써도 그는 그녀가 아무 데도 가지 않으리라는 걸 알고 있다.

"그 여자가 바가지를 긁긴 해도 여전히 날 사랑하니까 내 맘대로 행동할 수 있는 거죠."

이런 안도감이야말로 남자에게 결코 허락해선 안 되는 것이다. 남자들은 잘못이라는 걸 알면서도 과연 어디까지 갈 수 있을지 시험해보고 싶어한다. 어떤 남자의 말처럼 "남자들은 여자들이 허락하는 만큼만 농땡이를 친다."

해결책은 하나다. 결재 과정을 아주 까다롭고 복잡하게 만드는 것이다. 그의 요구에 쉽게 응하지 말고, 그가 원하는 걸 내줄 때도 아주 '천천히' 손에 쥐어준다.

만일 그가 여자를 만년 대기조로 생각하고 있을 때 그녀가 말없이 뒤로 약간 물러난다면 그는 무방비 상태에서 허를 찔릴 테고, 그녀는 그의 관심을 최대한 끌 수 있게 된다. 이때 그는 그녀가 갑자기 엄마 같지 않고 낯설게 느껴진다.

착해빠진 여자들의 불만은 이제 남자에게 충분한 관심을 못 받는다는 것에서 집안일을 분담하는 문제로 옮겨간다. 거듭 말하지만, 남자는 말없이 길들여야 한다. 대부분의 남자들은 집 안이 깨끗한지 더러운지 별로 신경 쓰지 않는다. 어제부터 싱크대가 접시로 가득 차 있든, 카펫이 진흙투성이의 신발 자국 천지든 그가 상관할 바 아니다. 그저 집에 돌아와 소파의 맨들맨들해진 부분에 털썩 엉덩이를 파묻으면 그걸로 행복하다.

남자들은 엄마보다 연인과 있을 때 더 행복하다

아이들을 데리고 슈퍼마켓의 계산대 앞에 서 있는 사람들을 가만히 관찰해보라. 아이들을 완벽하게 통제하는 엄마들은 결코 잔소리를 하거나 소리를 지르지 않는다. 그녀는 아이에게 시선을 고정하고 딱 한마디만 내뱉을 뿐이다. "가만있어."

남자를 상대할 때도 마찬가지다. 그를 어떻게 대해야 할지 모를 때는 종종 침묵으로 일관하거나 거리를 두는 것이 효과적이다. 그의 내면에 있는 '세 살배기 아이'는 그 뜻을 금세 이해한다.

이 장의 목표는 더 이상 그의 엄마로 살지 않고, 다시 그의 연인으로 돌아가는 것이다.

남자들에게 성적인 감정과 엄마에 대한 감정은 절대 하나가 될 수 없다. 그러므로 남자에게 엄마와 연인 중 어떤 존재로 인식될 것인지 신중하게 결정해야 한다. 남자는 당연히 그녀가 엄마보다는 연인이 되어줄 때 더 행복하다. 그녀에게 엄마와 같은 푸근함을 느끼며 소파에 퍼질러 앉은 그의 모습은 편안하고 만족스러워 보여도 마음 한구석은 허전하다. 그에게는 더 이상 연인이 없기 때문이다.

남자들은 사냥꾼이다. 그가 착해빠진 여자에게서 얻는 것은 방어적인 모성애이고, 그것은 그의 성적 욕망을 시들게 한다. 엄마를 쫓아다니는 남자는 없다. 착해빠진 여자들은 남자를 지나치게 안심시킬 때 그의 열정이 사라진다는 사실을 깨달아야 한다.

남자가 다음과 같이 행동할 때는 이 장의 충고를 기억하라.

- 관계를 위해 더 이상 노력하지 않을 때
- 관계를 유지할지 말지 어정쩡한 태도를 취할 때
- 당신을 존중하지 않을 때
- 계속해서 당신의 요구를 무시할 때

자, 시작하자! 사소한 일들은 제쳐두시라. 그런 건 나중에 얼마든지 처리할 수 있을 테니.

잔소리는 여자를 구차하게 만든다

남녀가 처음 만나 사귀기 시작한 초창기. 여자는 남자에게 잔소리도 하지 않고 친구처럼 대했다. 그녀는 느긋했고, 많이 웃었으며, 편하게 자신의 심경을 얘기했다. 그는 그녀에게 존재의 '중심'이 아니었다.

잔소리를 할 때 그녀의 행동은 전혀 다른 말을 하고 있다. 바로 "난 당신이 하는 모든 행동에 영향을 받는다고요"라고. 이로써 잔소리는 그에게 일종의 보상이 된다. 듣기 즐거워서가 아니라 그녀가 그를 염려하고 있다는 게 재확인되기 때문이다.

잔소리하는 여자는 언제나 남자보다 한 수 아래다

아무리 유능한 소송전문 변호사가 아찔할 만큼 감동적인 최후 변론을 펼친다 해도 소용없다. 잔소리는 어디까지나 잔소리일 뿐, 그와의 공감대 형성엔 전혀 효과가 없다. 잔소리를 듣는 순간 그는 여자를 무시해버린다.

이제 여자는 '이야기'를 하고 싶어하고, 남자는 '이야기'를 듣지 않기 위해서라면 뭐든지 한다. 여자가 계속 문제점을 강조하면, 그는 모든 문제를 그녀 탓으로 돌려버린다. 남자들이 책임을 전가하는 데 얼마나 고단수인지 한번 살펴보자.

- 우선 그녀에게 지금은 그 이야기를 하기에 적당한 때가 아니라고 말한다.
- 그녀가 채 말을 꺼내기 전에 "모든 게 오해야!"라고 선수 친다.
- 핑계는 교대로 댄다. 월요일과 수요일은 그녀가 '과민반응'하는 것이고, 화요일과 목요일은 그녀가 '확대해석'하기 때문이다. 그리고 주말에는 모든 게 그녀의 '상상'이라고 말한다.
- 주제를 바꾼다. 예를 들면 "당신 생리 시작했구나, 그렇지?"

- 이런 방법들이 효과가 없으면 싸움을 건다. 논쟁을 먼저 시작한 사람은 그녀라는 사실을 공격적이고 반복적으로 지적한다.
- 그녀가 잘한 일이 여섯 가지이고 자신이 잘한 일이 하나라면, 그 한 가지를 집중적으로 강조한다.
- 그녀가 옳은 것이 명백하다면 이번 일과 관계없는 그녀의 결점을 찾아내서 이용한다.
- 그녀가 모르는 가짜 '전문가 위원단' 을 만들어낸다. "조와 짐도 당신이 너무 터무니없이 군다는 내 말에 동의했다고."
- 그녀가 같은 이야기를 반복하려고 할 때는 눈을 부라린다.
- 상담가를 자처한다. "왜 스스로를 그렇게 못살게 구는 거지?"
- 그녀가 똑같은 말을 얼마나 많이 반복하는지 세었다가 상기시킨다.
- 권투라고 생각한다. 왼손으로 잽, 오른손으로 어퍼컷을 날리고 도망친다.
- 무하마드 알리가 말했듯이 "나비처럼 날아서, 벌처럼 쏜다." 문제를 피해 사뿐히 날아오른 다음, 그녀에게 "왜 그냥 내버려두지 않냐"며 쏘아준다.
- 결론은 언제나 '그녀 탓' 이다. 이 주장을 끝까지 고수한다.

남자가 택하는 또 다른 방법은 머릿속의 리모콘으로 그녀의 목소리를 '제거' 해버리는 것이다. 그러면 입술이 움직이는 것만 보일 뿐 상대의 말소리는 귀에 들어오지 않는다. 그러고는 그녀가 지쳐 떨어질 때까지 '혼자 볶아대기'를 바란다.

남자들에 따르면 분명 모든 여자는 옷이나 향수, 섹스와 마찬가지로 잔소리에도 그녀만의 스타일이 있다고 한다. 다음은 남자들이 말하는 잔소리의 대표적인 유형들이다.

- 마라톤형 두세 시간에 걸쳐 꾸준히 잔소리를 한다.
- 단거리형 좀더 짧은 시간 동안 잔소리를 하지만 강도가 세서 빨리 지쳐 떨어진다.
- 탄력 받는 투덜이형 투덜거림으로 시작해 서서히 탄력을 받아 잔소리로 이어진다. 그러고는 훌쩍거린다. 시간이 갈수록 점점 더 탄력을 받아 멈출 기미가 보이지 않는다.
- 해돋이형 지평선 위로 태양이 떠오름과 동시에 잔소리를 시작한다. 눈을 뜨면 새 아침의 첫 잔소리가 들려온다. 혹은 잔소리를 알람 삼아 잠에서 깨기도 한다.
- 하루 마감형 막 깊은 잠에 빠지려는 순간, 등을 툭툭 치면서 내일 해야 할 일을 상기시켜준다.
- 게릴라형 하루 중 그가 무방비 상태일 때 기습작전을 감행한다. 방금 전까지만 해도 모든 것이 평화로웠는데, 갑자기 아무 경고도 없이 그녀가 덤불 속에서 튀어나와 그를 흠씬 두들겨 팬다.

- **저격수형** 치밀하게 계획을 짜는 잔소리꾼으로 비수처럼 꽂히는 한마디를 날린다. 정확한 조준과 참혹한 결과가 특징이다.

대부분의 경우 남자들은 자기 때문에 여자가 화가 나도 그런 사실을 눈치 채지 못한다. 남자의 행동 때문에 신경이 거슬린다면 그가 더 나은 방법을 몰라서 그랬을지도 모른다는 걸 먼저 확인해야 한다. 자신이 무슨 일로 화가 났는지 알리고 싶으면 차분하게 "뭐 하나 말해도 될까?"라는 말로 시작하자.

NBA 스타 샤킬 오닐은 이런 말을 했다.

"이건 힘든 경기다. 상대 선수에게 상처를 줘야 할 때도 있고, 내가 상처받지 않도록 막아내야 할 때도 있다."

스스로를 방어해야 하는 이유는 상대의 공격에 의해 자신의 의사결정 능력이 손상을 입을 수 있기 때문이다. 남자가 더 이상 관심을 갖지 않는다는 건 그녀가 틀에 박힌 행동방식을 따르고 있다는 증거다. 이제 그녀는 남자의 동반자라기보다 적이 되어버린다.

남자는 앵무새처럼 바닥에 내려놓으면 조바심을 친다

그를 친구라고 생각하면 심각하거나 격렬한 잔소리 없이 대할 수 있다. 그렇다고 해서 "헤이, 친구"라고 부르며 그에게 차가운

맥주를 던지는 건 오버다. 도를 넘으면 안 된다. 그를 친구로 대한다는 것은 쓸데없는 감정 소모를 자제하겠다는 뜻이다. 지금까지 남자에게 빡빡하게 대하거나 매달려온 여자가 여유롭고 태평스런 태도를 보이면 그의 호기심이 새롭게 되살아난다.

예를 들어, 그가 왜 자주 만나지 못하는지 핑계를 댄다면 여자 쪽에서도 그를 자주 만나지 못할 핑곗거리를 만들 필요가 있다. 사랑이 무슨 게임이냐고? 아니다. 이미 여러 차례 어필했는데도 그가 달라지지 않는다면, 여자 쪽에서 더 이상 칼자루가 그의 손에 있지 않다는 걸 행동으로 알려야 한다. 그에게 칼자루를 맡겼다가는 그 칼자루가 그들 사이를 갈라놓을 확률이 크고, 그것은 누구도 원하는 결과가 아닐 테니까.

그녀가 화를 내지 않거나, 평소보다 유난히 차분해 보이면 그는 초조해진다. '이 여자가 무슨 생각을 하는 거지?' 남자들은 대부분 여자들의 부탁을 받는 데 익숙해져 있다. 그런데 그 끊임없는 멜로디가 뚝 끊긴 것이다. 그의 의구심은 증폭된다. 이제 그녀를 100% 장악했다고 확신할 수 없다. 잔소리를 들을 만한 일을 했는데도 그녀가 가만히 있으면 그는 무슨 일이 일어날지 종잡을 수 없다.

이 기회에 그에게만 편리하게 되어 있는 패턴을 바꿔야 한다. 예를 들면, 아무런 사전 경고 없이 그가 써먹었던 것과 똑같은 종류의 핑계를 대며, 만나는 횟수를 절반으로 줄여보는 식이다.

"나도 목요일에 만나고 싶지만 안 되겠어. 일이 잔뜩 밀려 있거든. 일이 끝난 후에는 피트니스 센터에 가야 하는데 운동까지 하고 나면 너무 피곤할 것 같아. 다음주에 만나자."

이로써 여자는 세상의 모든 징징거림과 잔소리를 합쳐놓아도 절대 해내지 못할 일을 이루게 된다. 바로 불꽃을 다시 타오르게 하는 것이다. 틀에 박힌 과정이 주는 안도감을 빼앗는 순간, 그의 태도는 돌변한다. 어떻게 하면 시간을 벌지 궁리하거나 핑계를 대는 대신, 그는 뭔가 재미있는 이벤트를 생각해내야 한다. 그래야 그녀가 만나줄 테니까.

조련사들에게 앵무새 훈련법을 물어보면 하나같이 횃대를 어깨 높이 정도로만 올리라고 말한다. 절대 어깨보다 높이 올려선 안 된다. 그랬다가는 앵무새가 조련사보다 우월하다고 생각하고 도도하게 굴기 시작한다. 머리 위의 새를 쓰다듬으려고 손을 내미는 순간 녀석에게 물리기 십상이다.

반대로 앵무새를 바닥에 내려놓으면 마음에 상처를 입는다. 이때 손가락을 내밀면 앵무새는 물기는커녕 손가락을 타고 기어올라가서 주인의 팔을 차지하려고 애쓴다. 남자가 그녀의 존재를 당연시하거나 잘난 척할 때는 이 '작은 새'를 부드럽게 땅바닥에 내려놓음으로써 관계의 균형을 재정립해야 한다.

론다의 남자친구는 그녀의 존재를 당연시했다. 언젠가 늦은 밤에 그가 자기 집으로 론다를 불렀다. 론다는 차를 정비소에 맡

겨서 갈 수 없다고 말했다. 그의 차는 멀쩡하게 집 앞에 주차되어 있었고, 그녀의 집까지 7분이면 운전해서 올 수 있는 거리였다. 그런데도 그는 "그럼 론다, 차가 언제쯤 수리되는데?"라고 물었다. 그녀가 도저히 움직일 수 없는 상황이라는 걸 파악하고 나자, 그의 입에서는 만나자는 말이 쏙 들어갔다.

며칠 후 그가 전화했을 때 론다는 이웃집 아저씨 대하듯 했다. 그리고 "있잖아, 전화해줘서 고마운데 좀 있다 다시 할래? 지금 통화 중이었거든."이라고 말했다. 그가 다시 전화했을 때 론다는 샤워 중이었다. 그가 세 번째로 전화했을 때 두 사람은 허물없이 대화를 나눴다. 사건 후 처음으로 론다의 상태는 집착에서 무관심으로 바뀐 것이다. 얼마 후 통화대기 신호가 울리자 그녀는 "나중에 통화하자. 안녕." 하며 예의를 갖춰 전화를 끊었다. 그 일이 있고 나서 남자는 론다에게 훨씬 더 상냥해졌다.

'일시중지' 버튼을 누른 다음 되돌리기를 해서 론다가 얼마나 쉽게 남자친구의 태도를 바꿔놓았는지 살펴보자.

1. 그가 상냥하게 굴지 않는다. 그도 그 사실을 알고 있다.
2. 그는 그녀가 잔소리를 할 거라 예상한다.
3. 그녀는 잔소리를 하지 않는다.
4. 그는 불안해진다.
5. 그녀는 여유 있고, 확신에 차 있다.

6. 그녀는 어떤 설명도 하지 않고, 화도 내지 않는다.

7. 그는 속으로 생각한다. '아무래도 내가 좀더 노력해야겠는걸.'

남자는 자기 영역에 다른 남자가 들어오는 걸 못 견딘다

남자들은 문제가 있을 때 개선하는 걸 좋아한다. 그런데 여자가 잔소리를 하면 그녀 자체가 문제가 되어버린다. 다이애나의 경우가 그랬다. 그녀는 남편에게 지하실 빗장을 고치라고 잔소리를 하기 시작했다. 그녀가 세 번째로 부탁하자 남편은 심하게 짜증을 냈고, 고쳐줄 기미를 전혀 보이지 않았다.

그날 저녁, 친구들이 다이애나의 집에 놀러왔다. 그녀는 애교 섞인 목소리로 친구 남편에게 지하실 빗장을 고쳐달라고 부탁했다. 그러고는 스크루드라이버를 찾기 시작했다. 그러자 남편이 후다닥 계단을 내려가더니 단 2분 만에 빗장을 고쳐버렸다.

이처럼 남자들은 자기의 일을 다른 남자가 대신 하는 것을 참지 못한다. 이것은 일종의 영역 싸움으로, 다른 남자가 자기 영역 위를 밟고 지나가는 것과 같다. 남편에게 뭔가 해달라고 두세 번 부탁했는데도 하지 않을 때는 이렇게 말해보자.

"괜찮아요, 여보. 이웃집 총각이 해주기로 했거든요."

게으른 그의 몸을 일으키는 데 이보다 효과적인 방법은 없다.

루시는 도움을 청할 때마다 남편이 무관심하게 나온다는 것을 알았다. 예를 들어 장을 보고 돌아올 때 그녀는 종종 남편에게 물건들을 날라달라고 부탁한다. 그때마다 그는 늘 "1분만 기다려"라고 대답했다. 1분이 지나고 루시는 또 소리친다.

"음식 상한단 말이야. 기왕 할 거면 지금 당장 해줘요."

장을 보러 갈 때마다 한바탕 전쟁이었다.

그런데 언제부턴가 루시가 더 이상 남편의 도움을 청하지 않자 변화가 생겼다. 남편이 물었을 때 "아니, 됐어요"라고 말하자, 갑자기 자기가 하겠다고 우기기 시작했다.

라야나도 비슷한 경험을 했다. 그녀는 아이들을 학교에 데려다주는 일로 한동안 남편에게 바가지를 긁었다. 남편은 늘 핑계를 대며 아이들 등교시키는 일을 게을리 했다. 그러다 라야나는 길 건너 사는 이혼남에게 카풀을 부탁했다. 이웃집 남자가 아이들을 등교시킨다는 소문을 듣자 별안간 아빠 곰은 운전수 역할을 자청하고 나섰다.

칭찬만 해주면 남자들은 바로 영웅 될 준비를 끝낸다

남자들은 집 안을 꾸미는 데 별로 소질이 없다. 아빠 곰이 되기 전, 그는 가구만 덜렁 들여놓은 독신자 아파트에서 길들여지지 않은 곰으로 살았다. 그런데 정착한 곰의 생활수준이 올라간 날부터 여자의 생활수준은 곤두박질쳤다.

이럴 때 잔소리보다 더 효과적인 방법이 있다. 바로 칭찬이다. 남자가 밖에 나가 우편물을 가지고 들어오면 "정말 고마워, 자기!"라고 말하자. 그러면 그는 여태 고쳐놓지 않는 부엌문을 보며 반성할 것이다.

바바라는 남편이 게으름을 피우는 일요일 오후에 집안일을 돕게 하려고 재미있는 놀이를 준비했다. 그녀는 남편 몰래 지하실로 내려가 집 안의 전원을 담당하는 차단기를 내려버렸다. 그러고는 몰래 집 안으로 들어가 시치미를 뚝 뗐다.

"여보! 너무 무서워요. 전원이 어떻게 된 거죠?"

남편은 설마 아내가 그런 짓을 했으리라고는 꿈에도 생각지 못했다. 그녀가 연장을 들고 나서자 남편은 깜짝 놀라며 즉시 소파에서 몸을 일으켰다. 힘센 아빠 곰이 가족을 구출하러 나설 때가 왔다! 가장으로서 자기 존재의 필요성을 느낀 것이다. 그는 손전등을 찾아 차단기가 있는 지하로 내려갔다. 그리고 아내에게 복잡하기 이를 데 없는 임무를 위임한다.

"손전등 꼭 붙잡고 있어."

남편이 차단기를 복구하자 바바라는 감동받았다는 듯이 남편을 치켜세웠다.

"와! 정말 대단해. 내체 어떻게 한 거예요?"

남자가 여자의 부탁을 거절하는 이유는 잔소리에 대한 반발 때문이고, 부탁에 응하는 이유는 자신이 하고 싶기 때문이다. 잔소리는 그 일을 의무로 만들고, 부탁은 긍정적인 경험으로 만들어 준다. 칭찬 몇 마디면 그는 아무리 귀찮은 일이라도 발 벗고 나선다. 여자들이 남자에게 '여왕'으로 보이고 싶은 것처럼, 남자들은 자기 여자에게 '영웅'으로 보이고 싶기 때문이다.

남자들은 감정적인 여자를 '봉'으로 안다

지금까지 그의 관심을 끌려고 잔소리를 했다면 시험 삼아 새로운 방법을 시도해보자. 감정을 드러내지 말고, 그 이유도 설명하지 않은 채 '더 이상 속내를 털어놓지 않겠다'고 행동으로 선언하는 것이다.

정신과 의사들은 언제나 "당신 자신을 표현하라"고 말한다. 입을 열 때마다 감정을 표현하고, 상대에게 피드백을 요구하라고 말이다. 그런 다음, 둥글게 둘러앉아 손에 손을 잡고, 티슈를 돌려가며 눈물을 닦는다. 앞으로 다시는 그러지 않고, 행복하게 살겠노라고 약속한다. 그리고 의사에게 175달러를 지불한다.

이론적으로야 나무랄 데 없이 완벽하다. 그러나 장담하건대 이런 시도는 무용지물이다(지금까지 정신과의사에게 총 2만 달러나 지불한 사람이라면 그런 사실을 인정하기가 억울하겠지만). 남자들은 상담을 일종의 협박, 즉 강압적인 속죄로 생각한다. 그들이 상담에 응하는 유일한 이유는 최악의 상황으로 치닫는 것을 막기 위해서다. 그리고 대개는 상담이 채 끝나기도 전에 그 효과가 나타난다.

"좋아요. 훨씬 좋아졌어요. 그러니 이제 그만합시다."

남자가 무시할 때 줄기차게 자신의 감정을 표현하는 것은 애걸하고 매달리는 것으로 비칠 뿐이다. 오히려 그가 무례한 행동을 했을 때 한 발짝 물러나는 것이 훨씬 효과적이다. 여자가 패를 보여주지 않을 때, 그는 흥미를 느끼고 그녀를 달리 보게 된다. 이제 더 이상 꿩도 먹고 알도 먹을 수 있는 '안전지대'에 있지 않으므로 그녀에게 관심을 갖게 되는 것이다.

가장 효과적인 잔소리는 말이 아니라 행동이다

카레이서인 게리는 시합이 끝난 후 여자친구와 함께 관람석에 앉아 있었다. 이때 두 여자가 상냥하게 다가오더니 그에게 사인을 부탁했다. 게리는 그때 일을 이렇게 회상한다.

"난 여자친구가 그렇게 화낼 줄 몰랐어. 자기를 여자친구라고 소개하지 않았다는 거야. 그냥 깜빡한 것뿐인데 그 일로 계속 바가지를 긁더라고. 가장 정 떨어지는 건 그녀가 순교자인 척한 거야."

그녀가 과민반응을 보였는지 아닌지는 알 수 없다. 어쩌면 게리가 그 여자들과 심하게 시시덕거렸을지도 모른다. 어쨌든 이 이야기에서 흥미로운 것은 게리가 '순교자'라는 표현을 썼다는 사실이다. 그녀는 게리를 통제하고 조종하기 위해 그에게 죄책감을 느끼게 했지만, 정작 게리는 조종당한다는 사실에 분노를 느꼈던 것이다. 이 상황에서 그녀가 은근슬쩍 뒤로 물러섰다면 게리는 그녀를 품위 있는 여자로 생각했을 것이다.

함께 외출했을 때 남자가 불친절하게 군다면 하품을 하면서 "내일 할 일이 아주 많거든요"라고 말한 다음, 일찍 들어가버리면 된다. 그 다음에 외출할 때는 남자의 태도가 달라져 있을 것이다.

신시아의 얘기를 들어보자. 하루는 신시아의 남자친구가 여자들이 나오는 클럽에 갔다. 신시아는 당연히 기분이 나빴고, 그가 다시는 그런 곳에 가지 못하도록 만들고 싶었다. 그녀는 잔소리를 하지 않았다. 대신 2, 3일 후 시내의 한 클럽에 취직한 척했다.

"직업을 바꾸기로 했어. 정말 근사하지 않아?"

그 다음 데이트 때 그녀는 유치한 핑크색 립스틱을 바르고, 눈썹 바로 밑까지 온통 연푸른색 아이섀도를 바르고 나갔다. 남자친구가 '쇼걸들'을 보고 싶어했으므로 자신이 직접 '슈퍼 울트라 쇼걸'이 되어 나타난 것이다. 이내 그의 본심이 터져나왔다.

"난 내 여자가 그런 곳에서 일하는 걸 원치 않아!"

이렇게 시작된 토론은 결국 두 사람 모두 '그런 곳'을 멀리하자는 상호 동의하에 끝났다. 이것 봐라. 남자가 먼저 말을 꺼내게 만들 수 있는데 왜 자진해서 먼저 나선단 말인가?

살다 보면 진지한 대화를 나눠야 할 때가 있다. 그런 상황에서도 잔소리를 하거나 같은 말을 여러 번 반복하지 않고, 자신의 입장을 강조할 수 있는 방법이 있다. 만약 그가 "무슨 문제라도 있어?"라고 물으면 숨을 들이쉬고, 차분하게 대답하는 것이다.

"네, 문제가 있어요. 하지만 나중에 말할게요. 지금은 정말 하고 싶지 않거든요."

이런 경우, 여자의 말은 '소리 제거'되는 대신 볼륨은 높아지고, 서라운드 효과까지 갖게 된다. 여자가 침묵하는 동안 그는 그녀에게 보상할 방법들을 궁리한다.

이것은 마치 자신의 하드드라이브를 분해하여 청소하는 것과 같다. 그렇게 그가 '자기검열'에 몰두하는 동안 여자는 저만치 떨어져 있으면 된다.

6

여우의 아이덴티티, 지갑

경제력이 곧 인격이다. 성 안에서 왕자가 공주를 위해 모든 금전적 문제를 해결하는 순간, 공주는 왕자 마음대로 할 수 있는 하녀 신세로 전락한다. 최소한의 용돈을 스스로 해결할 수 있을 때만 남자는 당신을 존중하고 사랑해야 할 대상으로 인정한다.

"새 드레스를 입는다고 해서 저절로 우아해지는 건 아니다."

코코 샤넬

여자가 돌봐야 하는 누이처럼 느껴질 때 남자의 열정은 식어간다

관계 속에서 자신의 존엄성을 고려할 때 간과할 수 없는 것이 바로 돈이다. 많은 여성들은 빛나는 갑옷을 입은 기사가 모든 것을 사주는 환상에 빠질 뿐, 그후에 일어나는 일에 대해서는 전혀 모르고 있다. 만약 왕자가 성 안에서 모든 돈을 지불한다면 그는 공주에게도 명령을 내리려 들 것이다. 그 순간 공주는 노예로 전락하는 것이다.

자동차를 구입하면 자동차 등록증을 갖게 된다. 등록증은 곧 자동차의 법적 주인으로서, 구워 먹든 타고 다니든 주인 맘대로 할 수 있다는 걸 의미한다. 이와 마찬가지로 여자가 자기 자신에 대한 소유증서를 간직할 때만 그녀는 관계 내에서 영향력을 행사할 수 있다.

많은 엄마들이 딸에게 하는 이야기도 바로 그것이다. 경제적으로 남자에게 의존하게 되면 인생에서 그녀의 선택권은 훨씬 줄어들고, 그녀는 결국 누군가의 노예가 되고 만다. 이것이 바로 자신의 '소유증서'를 갖고 있어야 하는 이유다.

경제적으로 독립하지 않는 한 주체적인 존재로 인정받을 수 없다

한 여자를 경제적으로 책임져야 할 때 남자는 그녀의 존재를 무거운 짐처럼 느끼게 된다. 자기 일을 하나둘 포기하는 여자를 보며 남자는 덫에 걸린 기분이 든다. 그러면 그녀와 함께 지내는 일이 특권이라기보다 억지로 떠맡은 책임이 되어버린다. 그는 두 사람분의 음식과 두 사람이 살 집을 마련해야 하고, 두 사람분의 청구서를 지불해야 한다. 이제 그는 타인을 책임져야 한다는 압박감과, 이중으로 늘어난 생활고에 못 이겨 관계를 부수려 든다.

자산이 있는 한 소유권을 고수하는 게 좋다. 그래야 떠나야겠다고 마음먹었을 때 언제든 짐을 꾸릴 수 있다. 독립심을 갖고 있을 때 남자는 그녀가 떠나지 않기를 바란다.

남자에게 무엇보다도 자신의 품위를 중시한다는 사실을 알리는 것은 매우 중요하다. 남자의 무시를 참아가며 벤츠를 모느니 차라리 자기 돈으로 산 자전거를 타겠다는 의지를 그에게 보여야 한다. 이것은 그가 함부로 대했다가는 일말의 주저 없이 그의 으리으리한 저택을 박차고 나가버리겠다는 일종의 경고이기도 하다.

이런 의지는 대개 행동으로 보여줄 수 있지만, 가끔은 말로 표현할 수도 있다. 예를 들어, 학대받는 여자가 나오는 TV 드라마를 보고 있다고 해보자. 여주인공이 시퍼렇게 멍든 눈으로 화면에 등장한다. 이때 여자는 '이 낭만적이고 닭살스런 순간' 을 이용해 그녀만의 '애정의 조건' 을 표현할 수 있다. 팝콘을 먹으면서 그의 눈을 응시하고 이렇게 말하면 된다.

"저렇게 사느니 나라면 차라리 맥도널드에서 햄버거를 굽겠다."

독립적인 여자를 만나는 남자들은 열렬히 그녀를 찬미하느라 바빠서 지루할 틈이 없다. 하지만 경제적으로 의존적인 여자라면 남자는 소홀히 대해도 그녀가 참고 받아들일 거라고 생각한다. 설사 여자를 무시하는 타입이 아니라 해도 자기가 무슨 짓을 하든 여자가 받아줄 것이라는 낌새를 맡으면 그는 지루해한다.

그렇다고 해서 꼭 부자가 되어야 한다는 말은 아니다. 그저 자기 입에 풀칠할 정도면 된다. 이것은 남자가 늘 그녀를 존중할 것인지 아닌지와 직접적인 관련이 있다. 자신이 돈이 없다는 이유로 그가 밥을 사주는 일이 생겨서는 안 된다. 그가 주고 싶어서 주는 선물이어야 하며, 또한 그녀가 받고 싶어서 받는 선물이어야 한다. 그래야 선물 공세가 계속된다.

자네트는 예전 결혼생활에서 전남편만 돈을 벌었을 때 어떤 기분이었는지 토로했다.

"전남편은 의사여서 수입이 꽤 많았어요. 하지만 난 4년 동안 코트 하나 새로 장만하지 못했죠. 한 푼도 벌지 못하는 상황에서 몇 백 달러짜리 코트를 살 만한 명분이 서질 않는 거예요. 그래서 고등학교 때 산 재킷을 입거나, 그의 코트를 빌려 입었어요. 그후 파트타임으로 일자리를 얻고 나자 나 자신이 훨씬 대견하게 느껴졌어요. 물건을 내 맘대로 사는 것은 물론, 일일이 그에게 물어볼 필요도 없었으니까요."

지갑이 없을 때 여자의 자존심은 끝없이 추락한다

미국의 여성운동가 수잔 B. 앤터니는 "한 남자의 시중을 들기 위해 자유로운 인생을 포기한다는 것은 생각조차 할 수 없다"고 말했다. 맞는 말이다. 그런데 그 '생각조차 할 수 없는 일'을 스스로 선택하는 여자들이 있다. 이것은 남자의 하녀가 되고 말고의 문제도 아니며, 돈을 벌고 말고의 문제도 아니다. 변수는 과연 떠나고 싶을 때 그럴 만한 돈이나 능력이 있는가 하는 것이다.

남자가 여자를 경제적으로 완전히 책임져야 할 때 다음 두 가지 현상이 벌어진다.

1. 그는 막다른 골목에 갇혔거나 덫에 걸린 기분이 들기 시작한다.
2. 그는 그녀를 어린 소녀로 보기 시작한다.

거듭 말하지만, 남자는 무기력한 어린 소녀가 아니라 강한 여자를 원한다. 이 점은 남자가 여자에게 느끼는 성적 매력에도 영향을 미친다.

자녀가 없는 마이클과 낸시 부부는 남편인 마이클이 생계를 비롯한 모든 재정적 문제를 책임진다. 그런데 아내인 낸시는 새 구두를 사가지고 집에 올 때마다 늘 남편에게 '발은 두 개' 연설을 들어야 했다.

'발은 두 개' 연설문 "당신 발은 딱 두 개뿐이야. 그런데 왜 그렇게 많은 신발이 필요하지? 1년은 365일이고, 당신 신발은 100켤레니까 켤레당 3.65일씩밖에 신지 않잖아. 나는 샌들과 운동화, 그리고 구두 두 켤레가 전부야. 지금 내가 신고 있는 이 신발 보여? 지난 2년간 매일 이 신을 신었다고. 대체 왜 그렇게 많은 신발이 필요한 건지 정말 이해할 수가 없군."

낸시가 돈을 벌고 있었어도 이런 연설을 들었을까? 아닐 걸. 하지만 남자가 모든 지출을 책임지게 되면, 돈은 우스워지고 관계는 이상해진다. 차라리 패밀리 레스토랑에서 일주일에 한 번이라도 웨이트리스로 일하는 게 낫다. 그러면 남편도 아무 말 못할 테고, 낸시는 새 구두를 뽐내며 거리를 활보했을 것이다.

남자가 모든 경제적 부담을 지게 되면 그는 여자의 용돈이나 돈의 용도뿐 아니라, 취향까지 정하려 든다. 그는 그녀의 의견을 묻는 대신 "당신 의견은 이래야 해"라고 말한다. 그렇게 되면 그녀는 그에게 조종당하는 바비인형 신세가 되고, 그후에는 다음과 같은 일이 벌어진다.

- 그는 모든 결정권이 자신에게 있다고 생각하기 시작한다.
- 그는 자신의 말은 무조건 옳다는 듯이 행동한다.
- 그는 그녀의 행복과 슬픔을 통제한다.
- 그는 그녀를 마치 부하직원을 다루듯 한다.
- 그는 마음 내킬 때만 그녀를 돕고, 그녀는 마냥 기다린다.

당신에 대한 그의 도전욕구와 존중심, 그리고 지속적 관계를 유지하고 싶다면 자신의 생계는 스스로 책임질 수 있어야 한다.

부자라면 사족을 못 쓰는 록산느는 말리부에 대저택을 가진 켄트라는 남자와 동거 중이었다. 그녀는 그의 돈으로 벤츠를 몰고, 로데오 거리에서 흥청망청 쇼핑을 했다. 하루는 점심을 함께 먹기로 하고, 나는 록산느를 태우러 그녀의 집으로 갔다. 집을 나서기 전에 록산느는 서랍을 열더니 약간의 현금을 꺼내며 빨리 은행계좌에 넣어야 한다고 말했다. 지난번 계좌에 20달러가 부족해 카드가 정지되었다는 것이다.

"켄트는 내 자존심을 지켜주려고 해. 그래서 내가 돈을 달라고 하기 전에 이렇게 서랍에 넣어두지."

그때 록산느에게 '지켜야 할' 자존심 따위는 없었다. 자존심은 자신이 번 돈에서 나온다. 사랑보다 유일하게 가치 있는 일은 바로 자신이 쓴 돈은 자신이 내는 것이다.

록산느의 경우, 문제가 돈이라는 것은 두말할 것도 없다. 심지어 켄트는 그녀에게 파트타임으로 일해보면 어떻겠냐는 제안까지 했다고 한다. 그런데도 록산느는 직장을 구하려고 전혀 노력하지 않았다. 그리고 2주 후, 그녀는 눈물을 머금고 '구찌' 가방에 짐을 꾸려서 켄트의 대저택을 나왔다.

관계의 균형을 유지하기 위해 여자들은 전기료를 내거나, 가끔 식료품을 사는 정도의 돈만 쓰면 된다. 이런 작은 행동으로 그에 대한 감사의 마음을 표현할 수 있고, 그러면 남자는 기꺼이 나머지 비용을 부담한다. 남자들이 원하는 것은 서로 동등한 분담이 아니라 상호분담 그 자체다.

자존심은 용돈을 스스로 해결할 때만 챙길 수 있다

미셸은 한 남자와 4년간 동거를 했다. 당시 미셸은 수입이 전혀 없었기 때문에 모든 경제적 부담을 남자가 져야 했지만, 그는 전혀 불평하지 않았다. 그러다 미셸이 유산으로 12만 달러라는 거금을 물려받게 되었다. 그러자 남자는 미셸에게 생활비 부담을 도와달라고 했고, 그녀는 거절했다.

그가 생활비 일체를 부담하라고 한 것도 아니고, 절반을 부담하라고 한 것도 아니었다. 그는 단지 함께 부담하자고만 했다. 그녀가 가진 돈에서 나오는 이자만으로도 일부 생활비는 충분히 해결하고도 남았다. 그럼에도 미셸은 유산이 자신의 노후를 위한 돈이라며 생활비로 한 푼도 내지 않았다. 얼마 후, 그는 그녀에게 헤어지자고 했고 그녀는 이사를 했다. 결국 미셸은 생계를 위해 그 몇 배에 이르는 돈을 써야만 했다.

미셸은 자기가 부담할 수 있는 한도 내에서 생활비를 냈어야 했다. 그렇게 하는 것이 경제적으로도 더 이익이다. 중요한 것은 돈만이 아니다. 만약 그녀가 생활비를 공동으로 부담함으로써 균형을 잡았더라면 두 사람의 관계는 훨씬 더 원만했을 것이다.

자수성가한 백만장자 벤지는 이렇게 말했다.

"성공한 남자들은 여자들이 돈에 반응한다는 것을 금방 알아채죠. 그저 여자들에게 내가 부자라는 것, 고급 차를 몰고 대저택을 소유하고 있다는 것만 보여주면 돼요. 그러면 여자들이 구름 떼처럼 몰려들거든요."

물론 부유한 남자들 중에는 팔에 자랑스럽게 달고 다닐 바비 인형을 원하는 경우가 많은 것도 사실이다. 그러나 그런 남자는 결코 질이 좋은 사람이 아니며, 그런 관계 또한 오래가지 못한다. 얼마 못가 그는 '낡아버린' 무력한 여자를 새로운 여자로 바꾸고 싶어한다. 애초에 그녀는 장난감에 불과했으니까.

제대로 된 남자들이 '곁에 두고' 싶어하는 것은 강한 여자다. 그는 자신이 존경할 수 있는 파트너이자 붙잡을 만한 가치가 있는 여자를 원한다. 즉 자신과 동등한 상대를 원하는 것이다. 일시적으로 남자가 돈을 많이 벌고, 여자가 전업주부가 되어야 할 때도 분명 그녀는 자기 몫을 다한다. 다시 말해, 그녀는 '돈을 노리고' 남자 곁에 있는 것이 아니며, 얼마든지 혼자 힘으로 살아갈 수 있다. 이 말은 곧 그녀 스스로 선택해서 그의 곁에 있다는 뜻이다.

품위와 자존심은 서랍이든 가방이든 지갑이든 간에 남의 돈을 꺼내는 데선 나오지 않는다. 남자에게 신용카드를 받거나 현금카드로 그의 돈을 인출해서도 안 된다. 수입만 있다면 아무리 적은 액수로도 다음과 같은 일들을 할 수 있다.

1. 스스로 세운 규칙에 따라 산다.

2. 다른 사람이 두드리는 드럼 박자에 맞춰 춤추는 대신, 자기 리듬대로 움직인다.
3. 자신이 어떤 대우를 받을 것인지 결정한다.
4. 무엇을 참고, 무엇을 참지 않을지 선택한다.
5. 원하는 것을 얻지 못했을 때는 떠난다.

이거야말로 여우들이 가장 중요시하는 것들이다. 그녀는 모든 면에서 파워를 갖는다. 그리고 헨리 키신저가 말한 대로 "파워야말로 가장 강력한 최음제"다.

남자는 기쁘게 베풀고,
여우는 당당하게 대접받는다

남자들과 인터뷰를 하면서 놀라운 사실을 발견했다. 일반적으로 남자들은 데이트 비용을 혼자 지불하는 것에 대해 언짢아하지 않는다는 점이다. 그들이 언짢아하는 것은 여자들이 그걸 너무도 당연하게 받아들일 때다.

남자들은 별로 고마워하지 않거나 남자가 돈을 내는 게 당연하다는 듯 행동하는 여자에 대해 분노를 느낀다고 말했다. 심지어 남자들은 자기 생일이나 기념일에도 남자가 돈 내는 걸 당연하게 생각하는 여자들 때문에 자존심이 상한다고 토로했다.

마크는 자신의 생일날 여자친구가 사람들을 불러 모아 생일파티를 열어주고, 그 비용을 전부 그에게 부담시킨 얘기를 들려주었다. 웨이터가 계산서를 가져오자 테이블에 있던 사람들이 모두 지갑을 열었다. 그러자 여자친구 왈, "어머, 아니야, 얘들아. 마크가 계산할 거야." 그가 돈을 내는 게 당연하다는 그녀의 반응에 마크는 기분이 나빴다('날 봉으로 보는 거야!').

여자가 고마움을 표시하는 한 남자들은 베푸는 일을 즐긴다

남자에게 뭔가를 받을 때는 화사한 답례 인사로 고마움을 표시해야 한다. 비록 슈퍼에서 사온 시든 꽃다발이라 해도 말이다.

존은 자신이 준 선물을 전혀 고마워하지 않는다며 한동안 만났던 여자친구 케이트와 헤어졌다. 하루는 그녀가 TV를 옆방으로 옮겨달라고 부탁했는데 존이 실수로 떨어뜨리는 바람에 고장 나버렸다. 그녀의 아버지가 물려준 추억 어린 TV였다. 존의 얘기를 들어보자.

"난 정말로 미안했어요. 그래서 케이트에게 2600달러짜리 최고급 서라운드 스테레오 TV를 사다줬죠. 일주일 후, 집에 놀러온 친구들이 그걸 보고 '와! 정말 멋지다' 라고 말했어요. 그러자 케이트가 빈정거리는 말투로 '존이 전에 있던 걸 고장 냈거든요' 라고 하더군요. 정말 어이가 없었죠."

존은 그날 밤 케이트의 아파트를 나왔고, 그후 두 번 다시 그녀를 만나지 않았다.

남자들이 감정 표현에 익숙하지 않기 때문에 여자들은 때때로 그들이 돈을 쓸 때 어떤 기분인지, 돈을 벌기 위해 얼마나 힘들게 일했는지 잊어버린다. 남자에게 대접받고 싶으면 친절을 베풀 때마다 감사의 표시를 함으로써 그가 계속 제대로 행동하도록 격려해야 한다. 그렇지 않으면 그는 두 번 다시 친절을 베풀 마음이 나지 않는다.

그가 당신을 위해 문을 열어주면, 정말 기쁘다고 말하자. 당신이 그의 남자다움과 근육을 칭찬할 때마다 그는 보상받는 기분을 느낀다. 이게 바로 남자를 길들이는 방법이다.

돈은 또한 남자의 본심이 어떤지, 그의 의도가 무엇인지 말해주는 척도가 되기도 한다.

칼라는 가이라는 남자와 데이트를 했는데, 가이는 처음부터 혼자 데이트 비용을 감당할 여유가 없다고 말했다. 두 사람은 만날 때마다 더치페이였고, 그는 단 한 번의 예외 없이 이 '50대 50' 조항을 고수했다.

한번은 가이의 친구들과 술집에 갔다. 그런데 놀랍게도 그가 계속 친구들에게 술을 사는 게 아닌가. 그는 20분간 두 번이나 술을 돌렸고, 술값으로 주저 없이 80달러를 내놓았다. 그날 아침만 해도 그녀가 먹은 스크램블 에그와 베이컨 값으로 7달러를 내라고 했던 남자였다.

이 사건으로 그가 그녀와의 관계를 별로 중요하게 생각하지 않는다는 게 드러났고, 결국 칼라는 그와 헤어졌다. 대개 남자들이 처음부터 더치페이를 주장하는 것은 그녀와의 관계에 별로 의미를 두고 있지 않음을 노골적으로 드러내는 것이다.

여우들은 제대로 대접받는 데 익숙하다

어떤 관계에서든 재정적인 부분에 관한 한 일방통행 시스템이 되어선 안 된다. 만일 남자가 비싼 연극이나 발레 공연을 보여줬는데 사무실에 도로 들어가야 하기 때문에 함께 저녁을 먹을 수 없다면, 그에게 테이크아웃 음식이라도 사서 들려 보내야 한다. 그가 저녁을 샀다면 미리 영화 티켓을 끊어서 그를 놀라게 하자.

린다의 남자친구 베니는 전형적인 터프가이로 발레나 오페라라면 치를 떨었다. 그런데도 린다는 계속 오페라 공연을 보고 싶다고 고집을 부렸다. 베니는 그날 밤의 일을 이렇게 말했다.

"난 린다에게 신용카드를 내줬고, 린다는 그걸로 티켓을 끊고 턱시도도 빌렸죠. 난 한쪽에 기다란 막대기가 달린 쌍안경을 들고 그렇게 계집애처럼 앉아 있었어요. 그건 내 남성성을 모독하는 일이었죠. 거금을 주고 오페라를 보면서 끝나기만을 손꼽아 기다리고 있다니 믿을 수가 없더라고요. 그후 두 번 다시 린다에게 신용카드를 주며 계획을 세우라고 하지 않아요."

함께 여행을 갈 때도 상대를 배려해야 한다. 만약 그가 비용을 지불하고 당신에게 예약을 하라고 한다면, 다양한 호텔 가격을 알아본 후 그에게 결정하게 하는 게 좋다. 남자들은 자신이 '주도권'을 쥐고 있으며, 자신의 의견이 정말 중요하게 받아들여진다는 느낌을 아주 좋아한다(그러니 최소한 그런 척이라도 해라).

만일 그가 여행 경비를 지불했다면 당신은 룸서비스로 아침식사를 주문해서 그를 깜짝 놀라게 해줘라. 열대 지방에 간다면 밝은 빛깔의 셔츠를 사주고, 스키를 타러 간다면 따뜻한 스웨터를 사주자.

거듭 말하지만, 그가 베푼 것에 대해 고마운 마음을 표현하는 게 중요하다. 여자와 마찬가지로 남자들도 자신의 친절이 당연시되는 걸 원치 않는다.

남자가 문을 열어주거나 식사비용을 부담하는 것을 싫어하는 여자들도 있다. 그들은 남자가 대신 돈을 내주는 걸 거부한다. 남자가 사주는 저녁식사를 거부하는 여자의 마음 깊은 곳에는 대개 신세를 지고 싶지 않다는 의식이 깔려 있다.

그러나 여우들은 정중한 대접을 받는 데 매우 익숙하기 때문에 남자가 베풀도록 내버려둔다. 여우 같은 여자에게 그런 건 전혀 콤플렉스가 아니다. 여우는 정중하면서도 우아하게 고맙다고 말할 뿐, 절대 죄책감이나 의무감은 갖지 않는다. 또한 어떤 식으로든 보상해야 한다고 느끼지도 않는다.

착해빠진 여자들은 금전적으로도 남자의 '봉' 일 수밖에 없다

수지는 의사인 조지와 동거를 하고 있다. 수지는 이제 막 의대를 졸업하고 레지던트 과정에 있기 때문에, 그녀의 수입은 파트타임으로 일하는 간호사보다 적다. 반면 명의로 소문난 조지는 수입이 상당했다.

그들은 비벌리 힐스에 있는 조지의 집에서 함께 살았다. 그런데 그 집은 할부금을 거의 다 지불한 상태였는데도 그는 수지에게 소위 '집세' 에 해당하는 상당액의 생활비를 내라고 요구했다. 그들은 식료품비, 전기요금 등등 모든 생활비를 정확하게 반반씩 계산했다. 단, 고양이 사료비는 수지의 고양이라는 이유로 그녀 혼자 부담해야 했다. 두 사람의 수입과 생활비를 비교해보자.

- 조지의 수입은 50만 달러.
- 수지의 수입은 2만 5000달러.

- 그들은 생활비로 각각 2만 5000달러씩 지불한다.
- 고양이는 집세를 안 내고 살 수 있다.

'조지는 수지보다 20배나 많이 버는데도 수지가 생활비의 절반을 부담한다. 그뿐 아니라 수지의 통장에서 빠져나가는 집세는 그의 집 값을 갚는 데 쓰인다.'

이건 뭘 의미할까? 수지처럼 똑똑한 여자도 착해빠진 여자처럼 행동할 수 있다는 것이다.

어떤 여자들은 종종 병적일 정도로 베푼다. 남자가 자신을 필요로 한다는 것을 감지하면 그를 돕기 위해 119 구조대처럼 달려나가는 여자들도 있다. 또 어떤 여자들은 정작 자기 생활비도 모자라는 판에, 힘들게 번 돈을 남자가 자동차에 설치할 스테레오를 사는 데 기꺼이 제공한다.

돈을 빌려주는 것에 관한 법칙이 있다면 그건 절대 빌려주지 말라는 것뿐이다.

애비는 이탈리아 남자 프랑코가 영주권을 얻도록 돕기 위해 그와 위장결혼을 했다. 연출된 결혼을 준비하는 과정에서 프랑코는 애비에게 미친 듯이 사랑한다고 말했다. 그는 애비가 채식주의자라는 걸 알고, 파스타도 사양한 채 야채만 먹었다. 애비가 등산을 좋아하자 그도 등산을 다니기 시작했다. 신앙심이 깊은 애비를 따라 신앙생활도 열심히 했다. 두 사람은 이민국의 인터뷰를 무사히 통과했고, 드디어 프랑코는 영주권을 얻었다. 그리고 그 다음 날, 프랑코는 짐을 꾸려 "안녕, 내 사랑!"이라는 말과 함께 노을 속으로 사라졌다. 애비는 약혼반지를 받기는커녕, 이혼에 따른 엄청난 비용만 부담해야 했다.

남자가 지나치게 요구할 때 여우는 분명하게 거절할 줄 안다

전형적인 여우과인 셰릴도 남자에게 제대로 이용당할 뻔한 경험이 있다. 릭이란 남자가 딱 세 번 데이트를 하고 나서 그녀에게 돈을 빌려달라고 했던 것이다. 그녀는 어떻게 반응했을까?

"타호에 있는 릭에게서 전화가 왔는데 '응급 상황'이 발생했다는 거예요. 그는 내게 강 건너 웨스턴유니언으로 1000달러만 송금해달라고 했어요. 그런데 그 돈의 용도에 대해서는 말이 계속 바뀌더군요. 한번은 어떤 여자에게 줘야 할 아이 양육비라고도 했어요. 난 그에게 자식이 있는 줄도 몰랐는데 말이죠. 릭은 웨스턴유니언에 가기 위해서는 배를 타야 하는데 배 삯이 편도에 35달러라고 했어요. 그래서 내가 말했죠. '물론 보내줄게요! 지금 당장 보낼 테니 서둘러 배를 타요.'"

릭은 셰릴의 말뜻을 제대로 이해하지 못했다. 왕복으로 배를 타고 다녀온 후, 그는 그날 밤 늦게 셰릴에게 전화해 돈이 도착하지 않았다고 말했다. 그녀는 놀란 척하며 분명 돈을 보냈다고 강력하게 주장했다.

"다시 확인해보세요. 나도 내일 사무실에 가서 뭐가 잘못되었는지 알아볼게요."

다음날 릭은 또 다시 보트를 타고 웨스턴유니언으로 돈을 찾으러 갔다. 그에게는 기절초풍할 일이었지만, 돈은 한 푼도 오지 않았다.

분명 셰릴은 두 번 다시 릭을 만날 마음이 없었다. 이제 막 사귀기 시작한 사람에게 전화로 그런 부탁을 한다는 것 자체가 제대로 된 남자가 아니란 증거이기 때문이다. 이 사건은 그녀에게 즐거운 기억으로 남아 있다.

"난 상쾌한 공기가 릭의 건강에 좋을 거라고 생각했어요. 뭐 정 안 되면 배에서 일자리를 구할 수도 있잖아요."

여우 같은 여자는 비열하지 않다. 그저 무분별한 행동을 자처하고 나서지 않을 뿐이다. 남자가 무분별하게 행동하면서 동참하라고 손을 내밀면 그녀는 분명하게 거절한다. '내가 대접받고 싶은 대로 타인을 대접하라' 는 말이 있다. 맞는 말이다. 하지만 동시에 내 남자도 나를 같은 식으로 대접해야 한다. 이것이 바로 여우 같은 여자의 인생관이다.

여우 같은 여자는 절대 남자로 하여금 그녀가 '달리 갈 곳이 없어서' 그의 곁에 머문다고 생각하게 만들지 않는다. 그녀의 재정적 독립은, 만일 곁에 있는 사람 때문에 계속 불쾌하다면 결코 오래 머물지 않을 것임을 끊임없이 상기시키는 역할을 한다. 바로 이런 점이 서로 존중하는, 상호보완적인 관계를 보장해준다.

7

섹스 후의 즐거운 연장전을 위하여

섹스에 대한 남녀의 생각 차이. 남자는 사랑을 나누기까지 최선을 다하고, 여자는 섹스 후에 진정한 사랑이 시작된다고 믿는다. 둘 사이의 어긋난 수레바퀴는 결국 얼마 못 가 파국으로 이어진다. 무심한 그를 탓하지만 말고 남녀가 느끼는 섹스의 의미가 어떻게 다른지 알아보자.

"섹스는 소규모 사업이나 마찬가지다.
잘 감시해야 한다."

메이 웨스트

한 입, 두 입… 조금씩 빨아먹는 사탕이 가장 달콤하다

남자들이 여자의 어떤 면에 매력을 느끼는지 적어놓은 잡지들을 살펴보면 한결같이 지루하고 뻔한 대답들이 이어진다. '남자들이 여자를 볼 때 우선시하는 것은 외모, 느낌, 몸매다.'

그 다음 페이지를 넘겨보면 이런 기사가 실려 있다.

'새 립글로스를 사라…… 원래 눈썹을 모두 뽑고 새로 그려 넣어라…… 입술에 콜라겐을 세 병 투입하라.'

그러면 남자를 쥐고 흔들 수 있을까? 현실에서는 아니다. 눈썹도 없이 그녀는 다시 원점으로 돌아오게 된다.

이성을 유혹하는 가장 확실한 방법은 딱 두 가지다. 첫째, 그의 성적인 상상력을 자극할 것. 둘째, 성적으로 맺어지는 최종단계까지 가능한 한 오래 기다리게 할 것. 여기에는 '사탕' 이론이 적용된다. 즉 한꺼번에 사탕을 몽땅 주면 안 된다. 한 번에 하나씩만 줘야 한다.

섹스와 '불꽃' 은 별개다

남자들은 여자를 처음 본 순간 마음속으로 '연애할 여자' 와 '결혼할 여자' 로 분류한다. 일단 분류 작업이 끝나면 여자가 자신에게 붙은 라벨을 떼어내기란 거의 불가능하다.

당연히 여우는 남자가 자신을 '결혼할 가치가 있는 여자' 로 대해주기를 요구한다. 이것은 자신의 섹시함을 서서히 조금씩 보여준다는 의미이기도 하다. 그러는 사이 남자는 그녀가 약간 쌀쌀맞다는 것을 감지하고, 다른 숱한 남자들도 그녀를 쉽게 차지하지 못했으리란 걸 직관적으로 알게 된다. 사실, 그 자신도 그녀를 차지할 수 있을지 없을지 확신이 안 선다. 따라서 그녀를 '연애할 여자' 라고 추측해보는 것은 호사스런 일이다.

반면에 착해빠진 여자는 잠자리 요구에 쉽게 넘어오는 여자로 인식된다. 이것은 옷차림이 보수적이고 아니고의 문제가 아니다. 그녀가 긴 스커트 차림에 머리를 하나로 묶고 양갓집 규수처럼 행동하든, 섹시한 옷을 입고 날라리처럼 행동하든 결과는 똑같다. 어떤 경우에든 그녀가 남자를 붙잡기 위해 섹스를 했다면, 남자는 낌새를 눈치 채고 그녀를 만만하게 보기 시작한다.

브래드가 이 차이점에 대해 완벽하게 설명했다.

"섹시함에는 두 종류가 있어요. 섹시해 보이려고 안간힘을 쓰는 것이 눈에 보이는 여자와 섹시해 보이려고 애쓰지 않는 여자. 그런데 섹시해 보이려고 애쓰는 여자는 너무 노골적이기 때문에 고개가 갸웃거려지거든요. 오히려 굳이 애쓰지 않는 여자 쪽이 더 섹시해 보여요. 남자들이 진지하게 생각하는 여자들도 바로 그런 부류죠."

흥미로운 사실은 브래드가 이제 막 대학을 졸업한 젊은이라는 점이다. 20대 초반의 남자가 이런 시각을 가지고 있다면, 나머지 연령대의 남자들은 두말할 것도 없다.

다음 표는 남자들이 얼마나 단편적인 정보만 가지고 서둘러 결론을 내리는지 보여준다. 양쪽 모두 섹시함을 발산하고 있다는 사실을 명심하라. 한쪽은 매달리는 것으로 보이고, 다른 한쪽은 당당해 보인다.

남자가 생각하는 '연애만 하고 싶은 여자'	남자가 생각하는 '진지하게 만나고 싶은 여자'
첫 데이트 때, 혹은 처음 전화 통화를 할 때부터 섹스에 대한 이야기를 많이 한다.	그녀는 은밀하게 말장난을 즐기며, 몸동작으로 자신의 관능미를 드러낸다.
아주 짧은 스커트를 입거나 다리, 가슴, 그리고 등이 훤히 드러나는 옷을 입는다. 그녀의 섹시함은 실제보다 과장된다.	신체의 한 곳만 드러내거나, 속이 살짝 비치는 옷을 입는다. 그녀의 섹시함은 그녀가 가진 매력의 일부일 뿐이다.
세 번째 데이트 때 검은색 레이스 속옷을 입음으로써 그에게서 상상의 즐거움을 빼앗는다.	그녀는 집에 놀러온 남자가 볼 수 있도록 욕실 문에 잠옷을 걸어놓는다. 그러면 남자는 그것을 입은 여자의 모습을 상상하며, 뚫어져라 쳐다본다.
두 번째 데이트 때 그를 집으로 초대한다. 그는 "그냥 손만 잡고 있을게"라고 약속하지만 결국 그들은 사랑을 나눈다. 그는 이제 사탕가게를 통째로 얻은 셈이다.	그들은 그녀의 집 앞에서 정열적인 키스를 나눈다. 그녀는 그를 집 안으로 초대하고 싶은 마음이 굴뚝같지만, 충동을 다스려 그에게 잘 가라고 인사한다.
불꽃이 시든다.	불꽃은 꺼지지 않는다. 오히려 더욱 뜨겁게 타오른다.

섹스를 하는 시기는 늦으면 늦을수록 좋다. 이 전술을 통해 그녀는 그에 대해 파악할 시간을 벌게 된다. 그래야만 그가 유부남이거나, 아니면 그에게 자동차를 고쳐달라고 정기적으로 전화하는 예전 여자친구가 있다는 사실을 뒤늦게 알게 되는 비극을 피할 수 있다.

사탕을 한 번에 하나씩만 주는 것은 순결의 문제가 아니라, 누구보다 자기 자신이 소중하다는 것을 그에게 알리는 문제다. 이런 태도는 남자로 하여금 파트너와의 관계에 노력을 기울이는 습관을 갖게 하고, 결국 그녀는 원하는 대접을 받게 된다.

이것은 또한 사소한 행동의 효과를 극대화하는 기법이기도 하다. 여자가 공공장소에서 부드럽게 손을 잡아주는 것만으로도 그의 등줄기에선 전기가 흐른다. 또 그는 그녀의 얼굴을 잠깐이라도 보기 위해 몇 번씩 불러내기도 한다. 그의 눈에는 그녀가 세상에서 가장 아름다운 여인이다. 이 모두가 마법의 불꽃을 일으킨다. 그리고 남자는 그 불꽃을 위해 산다.

섹스 후 남자의 사고는 맑아지고, 여자의 사고는 흐려진다

남자는 소유욕이 강하다. 마치 커크 선장과 콜럼버스를 하나로 합쳐놓은 것처럼, 그는 다른 남자의 발길이 닿지 않은 처녀림을 탐험하고 싶어한다. 남자가 처녀림을 판단하는 기준은 단 하나, 즉 얼마나 빨리 침대로 들어오느냐에 따라 그녀가 경험이 많은 여자인지 아닌지 판단한다.

사랑이 끝난 후에 남자의 머릿속이 맑아지는 이유는 드디어 원하는 것을 얻었다는 안도감 때문이다. 반대로 여자는 그때서야 자신의 목표를 추구하기 시작한다. 그녀의 용무는 이제부터 시작이다. 그래서 그를 쫓기 시작하고, 그는 열심히 달아난다.

남녀가 처음 사귀게 되면 두 사람은 싫든 좋든 미묘하게 관계의 조건을 협상하게 된다. 그런데 너무 빨리 협상을 끝내면 흥정할 기회를 잃게 된다. 여우는 시간을 가지고, 일단 이 남자가 협상할 가치가 있는지부터 판단한다. 그녀는 단지 원 나잇 스탠드의 상대가 되고 싶은 생각이 없기 때문이다.

어떤 남자들은 처음부터 섹스만을 원한다. 그녀의 직업이나 차종이 무엇이든 상관없다. 그녀가 아침식사로 저지방 우유를 넣은 커피에 도넛을 즐겨먹든 말든 관심도 없다. 여자들은 그가 그 모든 것에 관심을 갖도록 만들어야 한다. 여자가 쉽게 넘어오지 않을 때 남자는 비로소 그녀는 '다르다'는 사실을 눈치 채고, 그녀가 커피에 크림 대신 저지방 우유를 넣어 마신다는 사실에 관심을 갖기 시작한다.

섹스는 순간이지만 게임은 장기전이다

남자들은 여자들이 질색하는 게임을 좋아한다. 다음 상황을 가정해보자. 혈기왕성한 젊은이가 현재 스코어 47대 3인 슈퍼볼 경기를 보고 있다. 그다지 흥미로운 경기는 아니지 않은가. 그러나 경기는 연장전에 접어들고, 이제 그는 세 시간째 의자 끝에 걸

터앉아 있다. 마침내 자신이 응원하던 팀이 승리를 거두자 그는 환호성을 지르기 시작한다. 그가 가장 좋아하는 선수가 다른 선수의 엉덩이를 때리고 다니는 동안, 그는 승리의 축배를 든다.

10년 후 그 경기에 대해 물어보면 그는 마치 어제 일처럼 생생하게 묘사할 것이다. 자신을 조금씩 보여주는 여자도 이와 마찬가지다. 남자는 그런 여자에게 훨씬 더 열광한다.

이제 막 스물다섯이 된 연애박사 네이선의 얘기를 들어보자.

"여자들이 너무 빨리 넘어오면 남자들은 낭만적인 작업을 중단하고, 더 이상 그쪽에 신경 쓰지 않아요. 하지만 솔직히 말해서 우리는 로맨스가 오래 가기를 원하죠. 남자들은 게임을 즐기기 때문에 너무 빨리 끝나면 실망해요. 심지어 무의식 중에 저항하기도 한다니까요. 남자가 섹스를 원한다는 건 두말하면 잔소리죠. 하지만 내심 여자들이 우리를 좀더 기다리게 하기를 원해요."

남자들이 쉽게 섹스하는 데 익숙해져 있다고 오해해서는 안 된다. 만약 선택하라고 한다면, 대부분의 남자들은 한 여자를 침대로 데려가는 데 최소한의 예산이 얼마나 되는지 먼저 알고 싶어 한다. 착해빠진 여자와 남자 사이에는 물물교환이 이루어지는 시기에 대해 마치 무언의 계약이 성사되어 있는 것처럼 보인다.

"이봐, 난 기꺼이 두 번의 저녁식사와 꽃다발, 그리고 영화 관람료를 지불할 용의가 있어. 총 255달러 92센트. 더 이상은 한 푼도 안 돼."

남자는 자신이 돈을 얼마나 쓸 수 있는지 예산을 세우고, 비용을 계산한다.

여우는 만약 남자가 자기를 쫓아다니지 않으면, 다른 여자를 쫓아다닐 걸 알고 있다. 따라서 그의 예산이 많든 적든 간에 여우는 그 돈이 다른 누구도 아닌 자신에게 쓰이도록 만든다. 그녀는 자기 자신이야말로 그가 투자할 수 있는 최고의 대상이라고 생각하는 것이다.

남자들은 당당한 섹시함과, 매달리는 섹시함을 본능적으로 구분한다

착해빠진 여자들과 달리 여우는 자신이 섹시함 외에도 다른 매력을 많이 갖고 있다는 걸 알기 때문에 섹시해 보이려고 굳이 애쓰지 않는다. 그만큼 자신이 있기 때문에 스스로가 원할 때, 즉 상대방과의 관계에 편안함을 느낄 때만 사랑을 나눈다.

섹스 후에도 이 사실은 변하지 않는다. 그는 여전히 언제 그녀와 사랑을 나눌 수 있을지 예측할 수 없다. 화요일이 될지, 수요일이 될지, 아니면 토요일이 될지, 일요일이 될지 전혀 모른다. 따라서 신비감과 쫓는 재미는 여전히 사라지지 않는다. 그녀가 사랑의 주도권을 쥐고 있기 때문이다.

어떻게든 남자를 붙잡으려고 사귄 지 얼마 되지도 않았을 때 섹스를 해버리면 그 순간 남자의 태도는 돌변한다. 고급 식당에서의 저녁식사, 은은한 촛불, 꽃다발…… 이 모두가 급정지된다. 남자는 여자를 밖으로 데리고 나가 저녁을 사주고 영화를 보는 대신, 비디오나 하나 빌려서는 불쑥 그녀의 집을 방문한다. 앞으로 무슨 일이 벌어질지 뻔히 알기 때문이다.

그러나 여자가 남자를 기다리게 하고, 남자가 오랫동안 낭만적으로 행동해온 경우에는 섹스 후에도 저녁식사와 꽃다발이 끊이지 않는다. 왜? 남자는 자신이 원하는 것을 얻기 전에 여자를 존중하는 습관을 먼저 들였기 때문이다.

좋은 남자는 그녀가 자신에게 성적 매력을 느끼고, 아직 게임이 진행 중이라는 확신이 설 때 계속 그녀 곁에 머문다. 터널 끝에 어슴푸레 빛이 보이는 한, 그는 계속 터널을 내려간다.

섹스 직전의 노란불은 직진을 허용하는 파란불과 같다

여자가 정신적 유대감을 쌓기 위해 노력하는 동안, 남자는 머릿속으로 다른 궁리를 한다. 그녀는 침대 근처에도 가지 않으려고 할 테지만, 그는 어떻게든 그녀를 넘어뜨릴 생각만 한다. 그는 언제 파란불이 켜질지 눈에 불을 켜고 살핀다.

남자가 평소보다 낭만적인 말과 다정한 눈빛을 쏟아낼 때는 여자가 잘못된 메시지를 보내기 쉽다. 원치 않는 상황을 만들지 않으려면 신호를 분명하게 보내는 것이 중요하다.

- 빨간불은 멈추시오.
- 파란불은 가시오.
- 노란불은 당신이 그를 가지고 논다는 뜻이다.

예를 들어, 여자의 상의가 벗겨졌거나 혹은 소파에서 키스를 하면서 약간 진도가 나갔다고 해보자. 몇 분 뒤, 남자는 그녀가 일을 치를 준비가 되었다고 생각한다. 이 시점에서 "안 돼, 난 아직 준비가 안 됐어"라고 말하는 건 '노란불' 감이다. 마치 아이에게 사탕을 맛보게 한 후 뺏어버리는 거나 마찬가지다.

더 이상 물러설 수 없는 지점까지 그를 흥분시켜놓은 채 싫다고 말하면 그는 이렇게 생각한다. '맨가슴으로 한 시간도 넘게 나랑 붙어 있었고, 이미 바지 단추도 풀린 상태에서 어떻게 안 된다는 말이 나오지? 그럼 시작은 왜 한 거야?'

바로 이 지점에서 '흥분했다가 싸늘해진다' 라는 말이 적용된다. 그는 더 이상 게임에 참가하고 싶지 않다. 그녀가 게임의 재미를 빼앗아갔기 때문이다. 그는 그녀의 플레이가 공정하지 않다고 생각하며, 그의 감정은 욕정에서 분노로 바뀌어버린다. 여자가 자신을 가지고 논다는 생각이 들면, 그는 더 이상 그녀를 쫓아다니지 않는다.

한번 생각해보라. 개에게 한 시간이나 T-본 스테이크를 보여주며 약 올리다가 셀러리 줄기를 던져줄 수는 없는 노릇이다. 남자에게 존중받고 싶다면, 공정한 플레이를 해야 한다.

내 친구 팸도 남자친구에게 메시지를 잘못 전달하는 바람에 곤혹을 치른 적이 있다. 지난 겨울, 팸은 데이트가 끝난 후 남자친구를 집으로 들어오게 했다. 차 안이 얼음장처럼 추웠기 때문이다. 팸은 뜨거운 코코아를 끓이고, 집에서 입는 헐렁한 플란넬 잠옷으로 갈아입었다. 팸은 플란넬 잠옷이 섹시함과는 거리가 멀기 때문에 그가 다른 의도로 받아들이지 않을 거라고 생각했다. 그러나 놀랍게도 남자는 이미 코코아보다 더 뜨겁게 달아오른 상태였다.

남자에게 잠옷은 어디까지나 **침대**에서 입는 옷이다. 아무리 보기 흉한 사각팬티나 플란넬 잠옷이라 해도 파란불은 파란불이다.

남자에게 여왕을 사랑할 권리를 허하라

남자와 여자가 연인이 된 후에도, 하녀와 여왕을 구별하는 행동이 있다.

착해빠진 여자들이 저지르는 큰 실수 가운데 하나가 다른 여자와 자신을 비교하는 것이다. 그녀는 남자에게 주위의 다른 여자를 가리키며 "저 여자 예뻐?"라고 묻는다. 슈퍼모델, 스트리퍼, 포르노 배우 등 그가 환상을 품고 있는 여자라면 누구든 자신과 비교한다.

대개 여자들은 30대가 되어서야 성적으로 절정기에 도달한다고 한다. 그때 비로소 다른 여자와 경쟁해야 한다는 불안감을 극복하게 된다. 남자에게 자신의 요구를 당당히 밝힐 수 있기 때문에 사랑을 나누는 기술도 예전보다 훨씬 나아진다. 그녀는 자신이 원하는 바를 정확히 표현한다. 또한 남의 눈을 의식하지 않기 때문에 한결 여유로워진다.

젊은 여자들 중에는 침실에서 멋들어진 연기를 해내야 한다고 생각하는 경우가 많다(물론 남자의 경우는 더 심하다!). 우리 사회에 포르노가 얼마나 만연하고 있는지 생각해보면 섹스의 기준이 비현실적인 것도 무리는 아니다. 심지어 포르노 영화를 찍을 때도 목소리 대역을 쓸 정도다. 영화 속에서 들리는 "아, 좋아! 좋아!" 소리가 실은 옷을 멀끔히 차려입은 몸무게 180킬로그램의 여자가 스튜디오에 앉아 확성기에 대고 질러대는 괴성인 걸 아는가?

사랑을 나눌 때도 무엇보다 중요한 것은 당신의 감정이다

여우 같은 여자는 외부의 기준으로 자신을 평가하지 않는다. 그러나 대부분의 착해빠진 여자들은 그 기준으로 자신을 평가하느라 정신이 없다. 침대에서 연기에 신경을 쓰다 보면 그녀는 애초에 자신이 왜 섹스를 하는지 잊어버리고 만다. 그 결과 섹스 자체가 즐거운 유희가 아니라 힘들게 하는 '체조'가 되어버린다.

여우는 억지스런 쇼를 하지 않는다. 여우는 솔직하게 자신이 원하는 것을 요구한다. 남자가 제대로 하지 못할 때 억지로 좋은 척하면서 그를 격려하지도 않는다. 그러면 남자는 그녀를 즐겁게 해주는 방법을 배우지 못할 테니까. 여우는 당연히 자신의 즐거움을 중요시한다.

여자가 솔직하게 반응하고, 무엇이 좋고 싫은지 말하는 것이야말로 남자에게는 가장 큰 흥분제다. 남자는 황홀경에 빠진 여자를 지켜보는 것을 좋아한다. 여자의 그런 모습을 보면 남자는 자동적으로 흥분한다. 그것이 아카데미상을 탈 정도의 훌륭한 연기를 펼치는 것보다 훨씬 더 중요하다.

반면에 착해빠진 여자들은 진실을 감추려다 낭패를 볼 때가 많다. 예를 들어, 두 번째 데이트 때 사랑을 나눴다고 하자. 그는 그녀에게 지금까지 몇 명의 남자가 있었는지 묻는다. 그녀는 가장 구태의연한 대답을 한다. "딱 세 명뿐이었어."

여우는 그런 일이 없다. 남자를 만나자마자 침실로 직행하지 않고, 사랑을 나눈 후에 순진한 처녀 행세를 하지도 않는다. 그녀가 한두 살 먹은 어린애가 아닌 이상 딱 세 명하고만 잤다고 말해봤자 그는 새빨간 거짓말이라는 것을 안다. 이럴 때는 섹스의 타이밍을 늦춤으로써 그에게 헤픈 여자가 아님을 행동으로 보이는 게 낫다. 여기에 한 가지 더, 그가 과거에 대해 캐물으면 여우는 방어적으로 나가는 대신 이렇게 말한다.

"아마 당신이 잤던 여자 수보다는 적을 거야."

다른 여자와 자신을 비교하는 순간 당신의 가치는 하락한다

그렇다면 남자가 화려한 전적을 뽐낼 때는 어떻게 해야 할까? 결코 가만히 듣고 있어서는 안 된다. 남자의 이야기는 사실보다 과장되고 미화되었을 확률이 높고, 듣다 보면 어느 순간 실제로 믿게 될 위험도 있다.

여우는 남자가 다른 여자 이야기를 꺼낼 때 이제 그만하라는 신호로 손목시계를 흘끔거린다. 그녀를 받아들이든가, 싫으면 떠나라는 뜻이다. 시계를 서너 번씩 봐도 남자가 화제를 바꿀 생각을 하지 않으면 그녀는 이렇게 말한다.

"있잖아, 난 자기 남자친구가 아니야. 나랑 있을 때 다른 여자 얘기는 하지 말아줄래?"

남자는 섹스를 앞두고 오만가지 걱정으로 긴장하는 여자들에게 익숙해져 있다. '이 남자, 내 몸만 갖고 떠나는 거 아냐?', '그가 만족하지 않으면 어쩌지?', '속옷은 뭘 입어야 하나.'

그러다가 다른 사람에게 신경 쓰지 않는 여자를 보면 남자는 신선한 자극을 받는다. 그런 여자들은 다른 여자 얘기가 나오면 미소를 지으며 이렇게 대꾸한다.

"만약 어떤 여자가 내 남자를 빼앗아갔다면 그건 내가 더 이상 그를 원치 않았기 때문일 거야."

그러고는 와인을 한 모금 마신 후, 화제를 바꾼다.

"최근에 뭐 재미있는 영화 본 거 있어?"

지금 사귀는 남자의 본심이 의심스럽다면 만나지 않는 게 낫다. 하지만 그의 부정을 단정할 만한 증거가 나오기 전까지는 그를 신뢰하는 척 행동해야 한다. 그런 자세를 취하는 여자에게선 자신감이 흐른다. 마치 온몸으로 "당신이 나랑 있고 싶어하는 건 당연해"라고 말하는 것과 같다.

좋은 남자는 여자에게 신뢰받고 싶어한다. 그는 매일 그녀에게 전화하고, 자기만 만나달라고 조른다. 자신의 여왕 곁에 다른 사람이 얼씬거리는 걸 참을 수 없기 때문이다.

8

남자들의 다이어리 훔쳐보기

숨겨진 진실 하나, 남자들은 착한 여자보다 성깔 있는 여자를 좋아한다. 또 그녀와 함께 있을 때 가장 행복해할 뿐 아니라 그녀를 위해서라면 에베레스트 산이라도 기꺼이 오른다. 믿기 어렵다고? 남자들의 생생한 고백을 들어보자.

"장사의 비결을 배우지 말고 장사를 배워라."

무명씨

남자들은 감정이 메마른 게 아니라, 다만 표현하지 않을 뿐이다

여자들은 종종 남자들이 감정과 '접촉' 하지 않기 때문에 그들의 관계에 무슨 일이 일어나는지 깜깜무소식이라고 생각한다. 여자에 비해 상대적으로 감정 표현이 적은 남자들의 행동은 그녀에게 무관심한 걸로 비춰지기 쉽다.

남자들이 감정에 대해 말하기 싫어하는 것은 사실이다. 심지어는 감정을 자극하는 영화를 보는 것조차 꺼린다.

마이크는 여자들이 좋아하는 감성 영화에 대해 다음과 같이 평했다.

"그런 영화에는 항상 엄마와 딸, 그리고 엄마의 절친한 친구가 나오잖아요. 영화 내내 그들은 해변에 있거나 아니면 정원에서 우스꽝스런 밀짚모자를 쓴 채 토마토를 따죠. 그리고 다들 걸핏하면 훌쩍거려요. '엄마? 흑흑흑.' 그러면 엄마도 울기 시작하죠. 여자들이 떼거지로 울어대는 게 무슨 줄거리라는 거죠? 두 시간이나 앉아서 그런 영화를 보는 건 고문이에요."

그러므로 남자들에게 〈애정의 조건〉이나 〈철목련〉 같은 영화를 보자고 하는 것은 잔혹한 형벌이다. 여자친구와 함께 〈애정의 조건〉을 봤다는 크리스의 말을 들어보자.

"정말 끔찍했어요! 단지 내가 멍청이가 아니라는 걸 증명하기 위해 그 지루한 영화를 세 시간이나 봐야 했죠."

옆에서 듣고 있던 남자들도 모두 크리스의 말에 동조했다.

"나도 그 심정 알죠. 죽을 맛이지. 마이클 볼튼의 노래를 듣는 것만큼이나 싫은 일이에요. 계속 흐느끼는 가수 있잖아요. 그 사람 노래는 도저히 못 들어주겠더군."

남자들이 '감정'을 나눌 때 어떻게 변하는지 지켜보는 것도 흥미로운 일이다. 대화가 계속될수록 마치 배를 가르는 수술이라도 받는 사람처럼 얼굴에는 언짢은 표정이 역력하다. 사람마다 부작용은 다르지만 대개는 소화불량을 일으킨다.

이런 이유로 여자들은 남자들이 '감정이 메마른' 종족이라고 믿게 되었다.

그러나 이것은 사실과 거리가 멀어도 한참 멀다. 이 책의 자료를 모으는 동안 적게는 열여덟에서 많게는 일흔 살까지 모든 연령대에 걸쳐 수백 명의 남자들을 만나보았다. 그중에는 기혼도 있었고 미혼도 있었는데, 놀랍게도 그들은 지금껏 내가 이야기해본 그 어떤 여자들보다도 자신의 감정을 정확하게 표현했다. 그들은 내 질문에 매우 협조적이고 진실하게 대답했다.

인터뷰를 통해 파악한 남자들의 속내를 여자들이 알 수 있도록 가장 핵심적인 대답을 골라 리스트로 만들었다. 특히 남자들이 '매달리는 여자'와 '성깔 있는 여자'를 어떻게 생각하는지, 남자들을 매료시키거나 정떨어지게 만드는 것들이 무엇인지에 중점을 두었다.

여자들이 매달릴 때 나타나는 열 가지 신호

아무리 여자가 친밀감을 원해도 남자에게서 억지로 끌어낼 수는 없다. 그의 본성을 바꾸는 것은 더 말할 것도 없다. 여자들이 감정적인 언어를 사용할 때마다 대부분의 남자들은 즉시 그 말을 일종의 '칭얼거림' 정도로 깍아내린다. 그만큼 짧고 간결하게 말하는 것이 중요하다.

또한 남자에게 늘 감정 상태에 대해 말하라고 강요하는 것은 당신이 매달리는 것처럼 보이게 할 뿐 아니라, 결국에는 당신의 자존심만 평가절하될 뿐이다. 그렇게 되면 당신에 대한 그의 관심은 더욱 싸늘하게 식어간다. 이쯤에서 남자들의 얘기를 들어보자.

1. "지나치게 감정을 드러내지 않는 여자가 훨씬 더 이성적이면서 매력적으로 보여요. 남자들은 일을 해야 해요. 여자를 만나고 싶지 않은 게 아니라 자주 만나기 힘든 거죠. 그럴 때 여자가 화내지 않고 나만의 삶을 위한 여지를 주면 그녀가 내 인생을 훨씬 윤택하게 만들어준다고 느껴요."
2. "가끔씩 말이 없어지는 여자가 좋아요. 그런 여자는 자신감 있어 보여요. 자신의 감정을 잘 통제하는 사람처럼요. 남자들은 말하기 전에 생각할 줄 아는 여자와 함께 있고 싶어해요.
3. "지나치게 방어적이거나 몸을 사리는 여자는 자신감 부족으로 보여요. 한번은 어떤 여자와 처음으로 전화 통화를 하는데, 그녀가 전에 사귀었던 남자와의 사이에서 있었던 일을 바탕으로 내게 경고를 하더라고요. 아직 데이트도 하지 않았는데 그녀는 이미 법칙을 정하고 있었어요. 교통신호 위반도 하지 않은 사람에게 사형을 선고하는 격이었죠. 난 그저 데이트나 하자고 한 건데요!"
4. "말하는 걸 너무나 좋아하는 여자가 있었어요. 이야기를 나누다 잠이 들었는데 눈을 떠보니 그 여자가 계속 말을 하고 있는 거예요. 또 한번은 욕실에서 나만의 시간을 가지려는데 그 여

자가 문틈에 대고 계속 말하는 거예요. 그녀가 미친 게 아닌가 싶었죠. 그때 비로소 이 여자가 내게 하고 싶은 말이 있는 게 아니라 그냥 입을 다물지 못한다는 걸 깨달았어요. 대화는 관계의 일부이지 전부가 아니에요."

5. "전에 사귀던 여자는 남자에게 심하게 매달리는 타입이었어요. 그녀는 가족, 친구, 회사 등 자신의 모든 일에 대해 끊임없이 걱정하고, 위로를 받으려고 했죠. 심지어 섹스 도중에도 '오늘 회사에서 무슨 일이 있었는지 알아?' 라고 묻는 거예요. 정말 자존심이 확 상했어요!"
6. "나를 변화시키려고 애쓰는 여자도 있었어요. 내 감정에 대해 털어놓게 하려고요. 하지만 내 문제는 혼자서도 얼마든지 해결할 수 있어요. 도와주려는 여자는 정말이지 사양이에요."
7. "여자가 남자들끼리 어울리는 것을 허락하고, 그에 대해 아무런 유감도 표시하지 않을 때 남자들은 정말 행복해요. 마치 하키 시합 직전에 티켓을 구한 기분이라니까요. 그녀가 자신감에 차 있을 뿐 아니라 내 행복에도 신경을 써주는 것처럼 느껴지거든요."
8. "남자들의 말은 30초면 끝나요. 그런데 여자들은 끝도 없이 말하더군요. 남자들이 보기에는 아무것도 아닌 일이 여자들에게는 죽고 못 사는 일이 되죠. 어쩌다 도와준답시고 '그런 건 하나도 중요하지 않아' 라고 말하면 사태는 더욱 나빠져요."

9. "전에 사귀던 여자는 늘 함께 있고 싶어했어요. 나만의 취향이 있는 법인데 그녀는 내가 원치 않는 일을 하게 했어요. 내가 '고상한' 타입이 아니란 걸 알았다면 있는 그대로의 날 받아들여야지 미술관이나 박물관으로 끌고 다니지 말았어야죠."
10. "여자가 실내장식을 바꾸는 건 상관없지만, 날 바꾸려 드는 건 딱 질색이에요. 인생의 목표가 있는 여자가 좋아요. 그래야 남의 인생을 통제하느라 자신의 에너지를 낭비하지 않을 테니까요."

남자들이 무심한 척하는 열 가지 이유

남자들은 왜 감정을 숨기고 무심한 척 행동할까? 걸핏하면 냉정하고, 실제보다 강한 척 '터프 가이'를 흉내 내는 이유가 뭘까? 어떤 남자들은 전화번호를 물어보고 가서는 엿새 뒤에야 전화한다. 그러고는 만나서 정말 즐거운 데이트를 한 후, 다시 닷새 뒤에 전화하는 식이다. 그동안 여자는 뭐가 잘못된 것인지 전전긍긍한다.

남자들이 이렇게 행동하는 이유는 여자를 대할 때 생기는 특유의 강박관념 때문이다. 남자들은 여자한테 퇴짜를 맞을 때가 많으므로 사전에 이런 미루기 전법을 써서 스스로를 보호하려고 한다. 그러면 여자 앞에서 체면도 세우고, 주도권도 잡을 수 있다고 생각하는 것이다.

특히 초반에는 더욱 이성적으로 행동하려고 노력한다. 속마음을 드러내거나 감정적으로 행동하는 것이 남자의 세계에서는 약자로 인식되기 때문이다. 오늘이 화요일이라면 그는 목요일에 전화해야겠다고 생각한다. 오히려 여자들은 화요일에 전화하면 더 좋아할 텐데, 그는 그 사실을 모르고 있다.

여기서 우리가 배울 수 있는 것은? 그가 며칠 동안 전화하지 않는다고 해서 당신을 싫어한다고 생각하지 말라는 것. 남자가 당신을 약간 거부하는 것처럼 보이지만, 사실은 그 반대일지도 모른다. 즉 당신을 너무도 좋아하는 나머지 자신의 진심이 드러나는 걸 두려워하거나, 아니면 당신의 반응을 보기 위해 일부러 물러선 것일 수도 있다. 내 말을 못 믿겠다면 이 영악한 악마들이 털어놓은 이야기를 직접 들어보시라.

1. "남자들은 주위에 여자가 많은 것처럼 보이기를 원해요. 그래서 허풍을 떠는 거죠. 그게 다 자기 여자한테 좀더 매력적으로 보이기 위해서예요. 내 주변에는 여자친구를 약간 불안하게 만들기 위해 일부러 다른 여자를 만나는 남자들도 있어요."

2. "남자들은 한 여자가 자신을 쥐고 흔든다는 사실을 인정하고 싫어하지 않아요. 여자의 영향력이 그렇게 크다는 건 생각만 해도 자존심 상하는 일이거든요."
3. "처음 사귈 때는 여자에게 자주 전화하지 않아요. 너무 매달린다는 인상을 주고 싶지 않기 때문이죠."
4. "남자들도 여자들만큼 감정이 풍부해요. 다만 드러내지 않을 뿐이죠. 우리 사회가 그렇게 가르치잖아요. 남자라면 자기 자신쯤은 통제할 수 있는 것처럼 보여야 해요."
5. "여자들이 무심하게 행동할 때 남자들은 겁이 나요. 여자들은 자신도 모르는 사이에 남자들을 박살낼 수 있거든요. 만약 여자가 등을 돌리고 나가버리면 남자는 끝장나는 거예요."
6. "남자들은 어떤 여자에게 정말로 끌리면 대부분 그런 감정을 감추려고 해요. 여자한테 울며 매달리는 남자는 아마 찾아보기 힘들 걸요."
7. "남자들이 그러는 건 여자한테 잘 보이기 위해서예요. 여자에게 마마보이나 겁쟁이로 보이고 싶진 않으니까요. 대부분의 남자들은 여자들이 착한 남자보다 어느 정도 못된 남자를 좋아한다고 믿거든요."
8. "약하게 굴면 이용당하게 마련이에요. 어떤 남자들은 너무 진심을 내보이면 여자가 그걸 나쁘게 이용할 거라고 생각해요."
9. "한동안 여자를 사귄 적이 없다고 솔직히 말하면 여자들은 이

남자가 여자에게 걸신들렸거나, 아니면 어떤 여자든 낚으려고 한다고 생각해요."

10. "주도권은 여자가 쥐게 마련이죠. 왜냐하면 섹스를 통제하니까요. 남자들은 그것 때문에 자신이 불리하다고 생각해요."

남자들이 로맨스를 유지하는 열 가지 방법

인터뷰 내내 나는 단어 맞추기 게임을 하는 기분이었다. 내가 '로맨스'라고 말하면 남자들은 섹스로 생각했다. '열정'이라고 말해도 그들은 섹스를 생각했다. '새로운 경험'이라고 말해도 그들은 섹스를 생각했고, '다양함'에 대해 언급하면 이내 "섹스 말이죠?"라고 물어왔다. 남자들이 열정을 주제로 대화를 나눌 때 가장 언급하고 싶어하는 것은 당신의 짐작대로 바로 섹스다! 비록 감정에 대해서는 별로 이야기하지 않지만 그들 역시 사랑하는 사람과의 친밀감을 느끼고 싶어하며, 그것은 남자들에게 마법의 '불꽃'을 유지하는 것과 마찬가지로 중요하다. 더 이상 섹스를 하지 않을 때 남자들은 자신의 남자다움과 성적 매력에 의문을 품게 된다. 섹스는 단순히 육체적 행위가 아니다.

1. "남자들은 언제나 아내나 여자친구에게 성적으로 매력적인 존재이기를 원해요. 우리는 그런 격려를 바라죠."
2. "저녁때가 되면 녹초가 되게 마련이죠. 빡빡한 일상은 정말이지 남녀 사이의 열정을 빼앗아가요. 필요하다면 다른 사람에게 아이들을 맡기고, 저녁엔 외식을 하세요."
3. "최근 아내와 나는 한 달에 한 번 주말 밤에 외출을 하기 시작했어요. 그게 우리 사이의 로맨스를 유지시켜줘요. 둘만의 대화도 나눌 수 있구요."
4. "'외식할 돈이 어딨어?' 라든가 '주말에 놀러갈 여유 없어' 라고 핑계를 대기는 쉽죠. 청구서는 쌓여가고, 돈은 될 수 있는 한 아이들에게 써야 할 것 같으니까요. 하지만 부부 간의 로맨스나 섹스야말로 절대 포기할 수 없는 거 아닙니까?"
5. "남자가 성적으로 계속 거부당하다 보면 결국 불꽃은 꺼지고 맙니다. 남자들은 최소한 일주일에 두세 번은 섹스를 원해요. 뭐 아무 때나 섹스할 수 있는 여자가 있다면 가장 좋겠지만요."

6. "한 번쯤은 아내가 날 침실로 이끌었으면 좋겠어요. 적극적으로 행동해야 하는 사람은 언제나 남자잖아요. 게다가 분위기를 잡기 위해 노력하는 것도 언제나 우리 몫이구요. 남자도 가끔은 그런 노력을 생략하고 싶어요."
7. "가끔 떨어져 지내는 것이 로맨스를 유지하는 데 좋은 것 같아요. 아내에게 들볶이지 않으면서 나만의 취미생활을 갖는 건 아주 중요하죠. 낚시를 하러 가면 아내가 정말로 그리워지더라고요. 그건 좋은 거 아닙니까?"
8. "가끔씩 남자에게 질문을 하거나, 그가 좋아하는 일에 관심을 표현해보세요. 그러면 남자는 자신이 중요한 사람이 된 듯한 기분이 들죠. 평상시에 해보지 않았던 일을 시도해볼 수도 있어요. 주말에 함께 여행을 가는 건 어떤가요?"
9. "자질구레한 집안일은 서로 떨어져 있을 때 하는 것이 로맨스를 유지하는 데 도움이 되는 것 같아요. 내가 아침에 아이들을 데려다줄 때는 아내가 집에 남아 집안일을 하죠. 저녁에 아내가 아이들을 데리러 가면 그때는 내가 집안일을 해요. 그러면 아내가 걸레를 들고 바닥을 닦는 모습을 볼 일도 없어요."
10. "잠자리에서 내가 좋아하는 테크닉을 전부 아는 사람과 함께 있다는 건 편한 일이긴 하지만, 시간이 조금 지나면 너무 뻔해져요. 변화구나 커브도 필요한 법이죠. 특별히 파격적일 필요는 없어요. 그냥 평소와 다르기만 하면 돼요."

남자를 쫓아버리는 열다섯 가지 행동

남자들이 여자에게서 도망치는 이유는 가지각색이었다. 금방 이해가 되는 답변이 있는가 하면 다소 애매한 것도 있을 것이다. 어떤 경우에든 당신의 그 남자는 이런 사실들을 직접 말하지 않을 테니 염두에 두는 게 좋다.

1. "여자가 볼일을 볼 때는 반드시 문을 닫아야 해요. 변기 위에 앉아 있는 여자를 보는 것은 정말 정떨어지는 일이에요. 그리

고 생리대며 여성 용품들은 남자 눈에 띄지 않게 치워둬야죠. 남자들은 그런 광고를 보는 것조차 싫어하거든요."

2. "지나치게 물질 만능주의적인 여자는 좀 꺼려져요. 내가 어떤 신발을 신었는지, 어떤 시계를 찼는지, 차종은 무엇인지에 관심이 많은 여자라면 난 도망칠 겁니다."
3. "여자가 질투할 때 정이 떨어져요. 한번은 데이트를 하던 중에 긴 금발머리 여자의 차가 우리 옆에 선 적이 있어요. 그때 여자친구가 그 여자를 쳐다봤다고 생난리를 치는 거예요. 남자라면 당연한 거 아닌가요!"
4. "신비감이 중요해요. 한번은 어떤 여자랑 처음으로 전화 통화를 하는데, 그 여자가 나에게 잘 보이기 위해 살을 빼겠다는 거예요. 남자가 그런 얘기까지 들어야 하나요?"
5. "자기 인생이나 직업이 없는 여자는 싫어요. 신용불량자도 싫고요. 난 책임감 있는 여자가 좋거든요."
6. "사람들 앞에서 날 나쁜 놈으로 만드는 건 정말 싫어요. 내가 뭔가 잘못을 저질렀다면 집에 가서 얘기해도 되잖아요."
7. "힘든 하루를 마치고 집에 돌아왔을 때 30분 정도는 나만의 시간을 갖게 해주면 좋겠어요. 잘 다녀왔냐고 인사해주고, 무슨 무슨 일을 해달라는 부탁은 좀 나중에 하는 거죠."
8. "어떤 여자는 우리가 처음 데이트하던 날, 세 시간이나 준비하고 나왔다고 말하더군요. 그건 좀 심하죠."

9. "모든 남자는 결혼 후에 아내가 머리를 싹둑 자르고, 트레이닝 복이나 입고 다니면 어쩌나, 하는 두려움을 가지고 있어요."
10. "제대로 된 남자를 사귀고 싶은 여자라면 절대 필름이 끊길 정도로 술을 마셔서는 안 돼요. 술에 취해 주정을 부린다면 완전 끝장이죠. 주정뱅이와 사귀고 싶어하는 사람은 없으니까요."
11. "집에 앉아서 남자의 전화만 기다리고 있다거나, 남자가 자기 인생의 전부라는 사실을 절대 알려서는 안 돼요. 당신이 다른 남자들에게도 인기 있다는 사실을 알면 그도 좋아할 거예요. 바람만 피지 않는다면 말이에요."
12. "내가 뭘 했는지 일일이 보고하게 만드는 여자는 마치 직장상사처럼 느껴져요. 남자들은 순식간에 달아나죠."
13. "집이든 회사든 간에 절대로 연락 없이 찾아오면 안 돼요. 그런 여자는 즉시 스토커로 취급받을 거예요."
14. "남자를 쫓아다니는 여자는 별로 매력 없어요. 여학생 클럽에서 남학생 클럽에 놀러 왔던 기억이 나네요. 마치 암소들이 우리 영역으로 들어와 풀을 뜯는 기분이었죠. 너무 쉽잖아요."
15. "아무 부담 없이 만날 수 있는 여자가 좋아요. 하루 종일 직장에서 시달린 걸로도 모자라 여자에게 또 시달린다면 남자들은 당장 도망갈 걸요."

남자들이 성깔 있는 여자를 좋아하는 열 가지 이유

여자들은 유치원에 다닐 때부터 착한 아이가 되어야 한다고 세뇌를 당한다. 어렸을 때 들었던 수많은 권선징악형 동화들을 생각해보라. 우리 문화는 여자들에게 성깔을 부리라고 격려하지 않는다. 이런 환경에서 자라는 사이, 여자들은 착하고 온순하면 만사 오케이라는 편견을 갖게 된다. 물론 착하다는 건 좋은 일이다. 문제는 자신이 어떤 대접을 받든 간에 무조건 착해야 한다고 생각하는 점이다. 어떤 여자들은

종종 스스로를 팽개치면서까지 착해빠진 여자가 된다.

앞에서도 살펴봤듯이 남자들은 자기주장이 없는 여자에겐 매력을 느끼지 못한다. 다음은 왜 남자들이 성깔 있는 여자에게 끌리는지 그들의 입으로 직접 털어놓은 이유들이다.

1. "재치를 겨룰 수 있는 여자가 좋아요. 농담을 주고받거나 유머 감각을 이용해 내게 도전하는 여자요. 그건 꽤나 즐거운 경쟁이 되거든요."
2. "내 코를 납작하게 만들 수 있는 여자가 좋아요. 만일 내가 바보같이 구는데 그녀가 지적한다면, 그녀를 존중하게 되죠."
3. "남자들 안에는 어린아이 같은 면이 있어요. 그런 특질이 남자로 하여금 여자들을 이용하도록 몰아가죠. 사랑하는 여자가 그런 점을 용납하지 않는다는 걸 알았을 때 기분이 좋아요."
4. "그래요, 인정해요. 가끔 아내한테 싸움을 걸어요. 일부러 아내를 힘들게 하고 싶어서가 아니에요. 그냥 너무 힘든 하루를 보내고 나면 짜증을 부리고 싶어져요. 그럴 때 아내가 내 코를 납작하게 만들면 그녀를 존중하게 되죠."
5. "골 빈 여자는 싫어요. 내가 모르는 것까지 자신 있게 말할 줄 아는 여자가 좋아요. 그런 여자를 보면 계속 사귀고 싶은 생각이 들죠."
6. "늘 착하고 친절하기만 한 여자는 지겨워져요. 남자들은 함부

로 취급받는 것을 못 참는 여자를 존중해요."

7. "옳지 않은 일을 하자고 은근슬쩍 꼬드길 때 '난 그럴 시간 없어' 라고 말하는 여자는 정말 매력적이에요. 자기만의 신념을 가진 여자가 좋아요."
8. "톡톡 튀는 여자는 정말 섹시해요. 그런 여자는 거침없이 내 의견에 반기를 들고, 자신의 생각을 말하죠. 늘 내 비위를 맞추려 들지도 않고요. 바로 그런 점이 나를 긴장시키죠."
9. "그녀는 조금이라도 모욕적인 일은 절대 그냥 넘어가지 않았어요. 난 가끔씩 불평했지만, 솔직히 말해서 그 점에 더 끌렸죠."
10. "착해빠진 여자를 만날 때는 이 여자가 집으로 달려가 나와 있었던 일을 자기 엄마한테 미주알고주알 얘기하지 않을까 걱정이 돼요."

남자가 사랑에 빠졌을 때 나타나는 열 가지 징후

남자들은 감정을 숨기는 데 너무도 능숙하기 때문에, 여자들은 종종 이 남자가 자신을 진심으로 사랑하는지 아니면 그냥 '기계적으로 행동하는' 것인지 아리송하다. 그런 의문이 들 때는 이 점을 명심해야 한다. 그가 당신을 사랑하는지 아닌지 헛갈리고, 둘이서 아주 오랫동안 만나왔다면 그냥 만족하는 것이 좋다.

남자들은 이렇게 말했다. 그 여자를 얼마나 사랑하는지는 그가 그녀를 위해 하는 작은 행동들을 보면 알 수 있다고.

1. "여자가 월요일 밤에 만나자고 했을 때 만나러 가는 남자는 사랑에 빠진 겁니다. 또 사랑에 빠진 남자들은 그 여자를 정기적으로 친구들에게 소개하죠."
2. "사랑에 빠진 남자는 늘 싱글벙글해요. 갑자기 딴 사람이 된 듯하죠. 가족과 친구들의 눈에도 훨씬 생기 있어 보이구요."
3. "자기 집에 여성 용품을 두도록 허락하는 남자는 그녀에게 아주 빠졌다고 보면 돼요. 갑자기 그는 집안 분위기가 여성스러워지는 걸 자랑스럽게 느끼죠. 그리고 그녀가 좋아하는 가구들을 사들이고, 선반에 생리대도 넣어두게 할 걸요. 그는 모든 면에서 그녀를 원하게 되죠."
4. "그는 스스로를 더 잘 돌보기 시작하고, 저금통장이나 건강에 대해서도 장기적인 관심을 갖게 되죠."
5. "그는 그녀의 부탁을 들어주기 위해 무슨 일이든 해요. 그녀를 만나기 위해서라면 우주선이라도 탈 겁니다. 그 여자가 먹고 싶다고 하면 자다가도 벌떡 일어나 도넛을 사러 가죠."
6. "남자들은 미친 듯이 사랑에 빠지기 전까지는 여러 여자들을 만나고 싶어해요. 그러다 정말로 한 여자만을 사랑하게 되면 주위에 누가 있든 신경 쓰지 않습니다. 오로지 그녀와 함께 있고 싶으니까요. 진짜 사랑에 빠졌을 때는 어떤 유혹도 돌을 보

듯 합니다."

7. "늘 그녀를 생각하고, 그녀를 배려하고, 그녀를 기쁘게 해줄 방법만 생각하죠."
8. "더 이상 다른 여자를 만나고 싶은 생각이 들지 않아요."
9. "그녀를 기쁘게 하기 위해 평소에 안 하던 일도 기꺼이 해요. 아이를 갖거나 결혼하는 일은 꿈에도 생각해본 적이 없는데, 이 여자라면 그 모든 것도 기꺼이 하고 싶어지죠."
10. "날 사랑하느냐고 물어볼 필요도 없어요. 직감적으로 알게 될 테니까."

남자들은 여우에게 열광한다는 비밀이 샐까봐 전전긍긍한다

이 책에 실린 대부분의 충고는 남자들이 털어놓은 고백을 바탕으로 쓴 것이다. 한번은 의사인 조지에게 왜 이런 은밀한 정보를 여자친구에게 알려주지 않느냐고 물었다. 놀랍게도 그는 이렇게 대답했다.

"당신은 남이니까 상관없지만, 여자친구에게 얘기했다간 대가를 치러야 하는 걸요."

여기서 대가란 남자로서 파워를 잃는 것이다. 다시 말해, 남자가 성깔 있거나 못된 여자한테 끌린다는 것은, 남자들이 절대로 들키고 싶어하지 않은 비밀이다.

이로써 남자들이 털어놓은 정보가 진실할 뿐 아니라 그들에게 매우 불리한 것임을 알 수 있다. 남자들은 하나같이 자신의 이름을 공개하지 말아달라고 부탁했다. 자신이 그런 비밀을 폭로한 것을 알면 다른 남자들이 배신감을 느낄 거라면서.

남자들이 무슨 생각을 하는지 아는 것은 분명 도움이 된다. 그러나 남자를 기쁘게 하기 위해 더욱 노력하라는 취지에서 이런 정보를 밝히는 게 아니다.

착해빠진 여자들은 이미 넘치게 그런 실수를 저지르고 있다. 계란프라이를 만들거나 쿠키를 구웠을 때 금이 가거나 깨진 건 자기 몫으로 두고 완전한 건 남자에게 준다. 그녀는 지나치게 베푸는 것이 왜 오히려 자신에게 마이너스가 되는지 전혀 모른다. 남자의 일에 너무 깊이 관여한 나머지 자기 자신을 잃어버리고, 결국은 그 남자까지 잃을 수 있다는 사실을 그녀는 깨달아야 한다.

위 리스트를 반복적으로 참조하되, 남자를 즐겁게 해주려고 한층 더 노력하는 일에 이용해서는 안 된다. 남자를 기쁘게 하려고 뼈 빠지게 노력하는 대신, 당신 자신이 행복해지기 위해 힘써라. 결국에는 그것이 그를 진정으로 기쁘게 할 테니까.

9

꺼진 불꽃을 되살리는 법

이미 깊은 골이 생겨버린 관계도 다시 회복할 수 있을까? 물론이다. 남자들은 여자의 행동 패턴을 전부 알고 있을 때 관계에 소홀해진다. 이때 그가 기억하고 있는 직구 대신에 새로운 변화구를 던져보자. 그순간 불꽃은 다시 타오를 것이다.

"대등한 관계라는 것은 남자를 대등하게 대한다는 의미가
아니라 남자를 대하는 것과 똑같은 식으로
자기 자신을 대한다는 뜻이다."

말로 토마스

1단계 : 그동안 포기했던 일상으로 돌아가라

독립적인 여자가 매력적인 이유는 그녀가 남자 없이도 잘 지내기 때문이다. 남자들은 독립적인 여자와 함께 있을 때 비로소 동등한 파트너를 만난 듯한 기분을 느낀다. 반면에 여자가 일상적인 일들을 포기할 때 남자는 서서히 흥미를 잃어간다. 자신이 대단한 여자를 붙잡았다고 생각하는 대신, 그녀를 덤 정도로 생각한다.

짜릿한 '불꽃'을 되살리기 위해 여자가 먼저 해야 할 일은 생활의 중심과 에너지를 다시 자기 자신에게 맞추는 것이다. 그 남자가 그녀의 인생에 처음 들어왔을 때처럼 남자 외의 다른 흥밋거리를 개발해야 한다. 남자는 열정적으로 취미활동을 즐기는 여자에게 더 매력을 느낀다. 상대방도 꼭 흥미를 느끼는 활동이어야 할 필요는 없다. 당신 자신이 좋아하는 것이면 된다.

데이트보다 취미활동을 우선시하는 여자가 훨씬 아름답다

매력적인데다 성공한 남자 롭은 자신과 정반대인 여자 때문에 한동안 곤혹스러워했다. 로라는 긴 주름치마를 입고 다니는 '전형적인 컴퓨터 박사' 타입의 여자다. 몇 번의 데이트 후, 매사에 자신만만했던 로라에게 롭은 재미있게 노는 법을 한 수 가르쳐줄 생각으로 크루즈 여행에 초대했다. 그녀를 '별천지'로 안내해선 한껏 뽐낼 생각이었다. 그런데 로라는 타파웨어 파티(Tupperware Party : 주방용품 회사인 타파웨어 사에서 주최하는 일종의 판촉 행사. 일반인의 집에서 파티를 열고 한쪽에서는 타파웨어 제품을 전시, 판매한다.—옮긴이)가 열리기로 되어 갈 수 없다는 것이었다.

롭은 그후의 일을 이렇게 전했다.

"그녀가 마음을 바꾸기를 계속 바랐지만, 결국 나 혼자 크루즈 여행을 떠나야 했어요. 그리고 하루 만에 비행기를 타고 집으로 돌아왔어요. 그녀가 대체 뭘 할 건지 보려고요. 설마 그런 하찮은 파티 때문에 나와 함께 보내는 이국적인 휴가를 포기하리라고는 믿을 수 없었어요. 그녀가 나 말고 다른 남자를 만나는 거라고 추측했죠. 그래서 내 눈으로 직접 확인하고 싶었어요."

롭은 파티가 열린다던 토요일 밤에 그녀의 집으로 찾아갔다. 그리고 놀라서 쓰러질 뻔했다. 정말로 타파웨어 파티가 열리고 있었던 것이다! 그가 나타나자 로라는 기뻐하며 샌드위치를 권했다. 바로 그 시간에 롭은 마음에 드는 어떤 여자하고든 바하마로 여행을 하며, 고급 랍스터나 이국적인 해산물 요리를 얼마든지 먹을 수 있었다. 그런데 그는 거기 앉아서 이쑤시개가 꽂힌 축축한 참치 샌드위치를 깨작거렸다. 크루즈 안에서 세계 최고 수준의 라스베이거스 쇼를 볼 수도 있었건만, 그가 파티에서 구경한 것이라고는 생강빵에다 별 모양, 하트 모양 등을 한 온갖 종류의 타파웨어뿐이었다. 롭은 여전히 그때의 일이 불가사의라고 했다.

"난 요란하게 웃어대는 여자들 틈에 끼어서 타파웨어 몇 개를 들고 사라지는 다른 여자들을 바라보고 있었어요. 손가락만한 티스푼이 딸린 꽃무늬 찻잔으로 커피를 마시고요. 정말 믿을 수 없었어요. '이럴 리가 없어. 내가 이런 파티보다 못하다는 거야?' 라는 생각이 들더군요."

로라가 나빴던 걸까? 전혀 아니다. 그녀는 단지 자신의 관심사를 포기하고 롭의 생각을 따르는 패배자의 길을 가지 않았을 뿐이다. 롭이 당황한 이유는 로라에게는 자기와 함께 크루즈 여행을 떠나는 것보다 그녀의 관심사가 더 큰 의미를 지닌다는 사실 때문이었다. 롭은 "그때부터 내 모든 관심은 온통 로라에게 쏠렸죠"라고 고백했다. 그후 '어울리지 않는' 로라와 롭 커플은 열렬한 연인 사이가 되었다.

로라처럼 남자의 도전욕구를 새롭게 불러일으키고 싶다면 그가 당신 인생에 등장하기 전에 했던 일들을 계속 하는 것이 중요하다. 당신이 다른 계획 때문에 그를 만날 수 없다고 말하는 바로 그 순간, 그는 뭔가 달라졌음을 눈치 챈다. 그는 불시에 허를 찔리게 되고, 상처는 더욱 곪아간다.

무슨 일에든 당신이 열정적으로 매달리는 한, 남자는 당신에게 끌린다. 뜨개질이나 원예, 혹은 도예와 같은 평범한 일도 상관없다. 그러면 남자는 스웨터나 화초, 또는 점토에 밀려났다는 사실에 자존심이 상할 것이다. 그리고 데이트 초반에 가졌던 똑같은 의문을 다시 갖게 된다. '어떻게 나랑 함께 있는 것보다 이런 일이 더 좋다는 거지?'

함께 지내기 위해 당신이 아무것도 포기하지 않을 때, 그는 어김없이 당신에게 한 걸음 더 다가가기 시작한다.

2단계 : 틀에 박힌 절차를 바꿔라

남자의 도전욕구를 새롭게 일깨우고 싶을 때는 그가 익숙해져 있는 틀에 박힌 절차를 바꾸는 게 필수다. 도전욕구가 사라질 때 관계는 뻔해지고, 그는 '자동으로 움직이는 로봇' 이 되어버린다. 당신이 충분한 자극을 주지 않기 때문이다.

해리 트루먼은 이렇게 말했다.

"확신을 주지 못한다면 혼란을 줘라."

어떻게? 패턴을 완전히 바꿔버리는 것이다.

감정적으로 나가거나 불만을 표시하지 마라. 규칙적인 만남을 피하고, 마구잡이로 만나라. 마구잡이라는 말은 당신이 언제 그를 만나줄지, 혹은 당신이 언제 그의 전화를 받아줄지 그로서는 정확히 예측할 수 없다는 뜻이다.

남자들은 여자들의 말이 아니라, 연락두절에 반응한다

싱글 여성들은 종종 남자가 전화하는 시간에 맞춰 계획을 세운다. 결혼한 여자들은 또 결혼한 여자대로 남편이 퇴근하기만을 기다린다. 싱글이든 아줌마든 전화가 오기를 기다리기는 마찬가지다.

트레이시는 패턴을 바꾸는 작전으로 톡톡히 덕을 봤다. 그녀는 남편인 알렌이 다른 도시로 출장을 갈 때마다 늘 자신을 소홀히 한다는 생각이 들었다. 그녀는 매일 밤 알렌의 전화를 기다리느라 원래 잡혀 있던 계획들을 기꺼이 포기했다. 당연히 알렌은 그녀에게 전화하는 것을 마치 호텔에서 체크인을 하거나 출근표에 도장을 찍는 것처럼 하나의 일로 여기기 시작했다. 그는 대략 저녁 7시 30분쯤에 전화를 걸어 그녀를 전화기에서 떼어낸 다음, 동료들과 술을 마시러 나갔다.

트레이시는 판세를 바꿔놓기로 했다. 어떻게? 알렌이 다시 출장을 가게 되었을 때 그녀는 공항까지 데려다주었지만, 이번에는 "도착하면 전화해요"라고 말하지 않았다. 출장 내내 그녀는 남편이 건 전화의 절반 정도만 받았고, 나머지는 받지 못했다. 오랜만에 친구들을 만나러 다니느라 집을 비웠기 때문이다.

트레이시가 처음으로 남편의 전화를 받지 않은 날 밤, 알렌은 안절부절못했다. 그의 전체 일정은 즉시 바뀌었다. 그는 저녁 7시 30분부터 10시 30분까지 거의 30분에 한 번 꼴로 전화했다. 밖에서 술도 마시는 둥 마는 둥 하고 곧장 방으로 돌아와 다시 그녀에게 전화를 걸었다. 그녀가 10시 59분에 집으로 들어오자 11시 1분에 전화벨이 울렸다. 전과 달리 알렌은 그녀와 통화하면서 행복했다. 트레이시도 행복하긴 마찬가지였다. 특히 자동응답기에 빨간 숫자 9가 깜빡이고 있었을 때는(여섯 개는 남편이 남긴 메시지였고, 나머지 세 개는 그냥 끊어버린 전화였다). 그리고 두 사람 모두 행복하게 잠자리에 들었다.

갑자기 알렌은 트레이시가 그리워졌다. 왜? 그녀에겐 그녀만의 인생이 있었기 때문이다.

당신만의 인생을 사는 것을 절대 포기하지 마라. 뭔가를 배우고, 취미를 계발하고, 사람들을 만나라. 당신이 삶에 만족하고 있다는 사실만으로도 당신의 매력은 유지된다.

헬렌의 남편인 시드니는 그녀의 존재를 너무도 당연시했다.

그녀는 남편과 두 아이를 위해 매일 저녁식사 준비를 했다. 시드니는 종종 밤늦게까지 사무실에서 일했고, 대개 저녁식사 시간에는 나타나지 않았다. 무엇보다 헬렌이 화가 나는 것은 시드니가 저녁을 먹고 올 것인지 아닌지 미리 알리지 않으며, 퇴근이 늦어질 때도 전화 한통 하지 않는다는 점이었다. 가끔씩 헬렌은 그가 퇴근할 때까지 세 번이나 저녁을 데우곤 했다.

그녀는 남편에게 "저녁에는 아이들도 아빠를 봐야 해요"라고 입버릇처럼 말했다. 하지만 갈수록 헬렌은 아이들을 재우고 나서도 한참이나 그의 식사를 다시 데우고 있는 자신을 발견했다.

드디어 헬렌은 저녁 일정을 다시 짰다. 그녀는 조용히 남편을 바라보며 아무렇지도 않다는 듯이 이렇게 말했다.

"여보, 당신은 아무래도 평일에는 집에서 저녁을 못 먹을 거 같아. 그러니까 이제부터는 번거롭게 저녁 준비를 하지 않을게. 그냥 아이들이 먹고 남은 게 있으면 냉장고에 넣어둘게. 차라리 퇴근하는 길에 사먹고 오는 게 나을 거야."

며칠 동안 그는 집에 오는 길에 저녁을 사먹었다. 첫날은 아마도 패스트푸드로 때웠을 것이다. 둘째 날은 한 단계 업그레이드해서 델리에서 샌드위치를 사 먹었다. 하지만 차가운 샌드위치를 먹고 난 후 쓰린 속을 달래기 위해 소화제를 먹어야 했다. 오래지 않아 그는 집에서 만든 저녁을 먹으러 행복한 마음으로 정확한 시간에 쏜살같이 집으로 달려왔다.

샌디도 이와 비슷한 경험을 했다. 어느 날 그녀는 남편의 식사를 차린 후, 네 발로 엉금엉금 기어다니며 부엌 바닥을 닦고 있었다. 막 식사를 시작한 남편이 갑자기 그녀에게 이렇게 말했다.

"꼭 지금 바닥을 닦아야겠어? 걸레 냄새가 고약하잖아. 식사가 끝날 때까지 기다려주면 안 돼?"

그녀는 남편의 목을 졸라버리고 싶은 충동을 가까스로 참았다고 한다. 그후 며칠 동안 샌디는 남편을 차갑게 대했다. 일상적인 대화만 주고받으며 남편과 거리를 두었다. 드디어 남편 입에서 "무슨 문제라도 있어?"라는 말이 나왔다. 남편에게서 그 말을 열 번쯤 들은 후에야 샌디는 자신의 속마음을 털어놓았다. 며칠 만에 그녀는 '일벌'에서 '여왕벌'로 변신한 것이다.

샌디의 첫 번째 요구사항은 파출부였다. 그녀는 막무가내로 파출부를 고용해야 한다고 우겼다. 두 번째는 테이블 매너에 대해서였다. 남편은 종종 샌디가 채 자리에 앉기도 전에 혼자 먹기 시작해 식사가 끝나면 나가버렸다. 샌디는 어차피 자기 혼자 먹을 거면 앞으로는 2인분을 준비하지 않겠다고 했다. 그리고 비싸지 않은 식당이라도 좋으니 가끔 외식을 하자고 제안했다.

그 결과, 그들은 파출부를 두었을 뿐 아니라 일주일에 한 번씩 '데이트의 밤'까지 갖게 되었다.

헬렌과 샌디는 저녁 일정을 바꿈으로써 굳지 말하지 않고도 남편들이 뭔가 양보해야 한다는 사실을 알리는 데 성공했다. 그들은 행동으로 이렇게 말했다.

"중간 지점에서 만나든가 아니면 아예 만나지 말아요."

부엌에선 남녀 모두 공평해야 한다

여자들은 종종 남자들의 비위를 모두 맞추려는 실수를 저지른다. 가장 완벽한 예가 최근 내가 진행하는 라디오 프로그램에 전화를 한 로리다. 로리는 수입이 그다지 넉넉지 않은 미혼모다. 그녀는 밸런타인데이에 남자친구에게 선물할 케이크를 만들기 위해 하트 모양의 케이크 틀을 찾아다니느라 꼬박 이틀을 허비했다고 한다.

남자들이 케이크가 하트 모양인지 아닌지 신경이나 쓸까? 그는 차라리 렌치나 리모콘 모양의 케이크를 더 좋아했을 것이다. 사실 밸런타인데이는 슈퍼볼 게임이 끝나는 직후이므로 제과점에 가면 풋볼 모양의 케이크를 쉽게 구할 수 있다. 케이크 위의 장식을 떼어내고, 삐뚤삐뚤한 글씨로 '해피 밸런타인' 이라고 쓰기만 하면 된다. 걸리는 시간은? 꼬박 이틀에서 20분으로 줄어든다.

음식도 언제나 여자가 해야 하는 건 아니다. 가끔은 거대한 바비큐 그릴을 이용해 남자가 요리를 할 수도 있다. 그에게 얼마나 즐거운 일이 될지 생각해보라. 그는 대략 60센티미터의 거리를 두고, 그릴 양쪽에 고기 덩어리를 하나씩 펼쳐놓는다. 그릴이 클수록 그는 더욱 남자다운 기분을 느낄 것이다.

만일 그가 그릴을 쓰겠다고 제안하면, 절대적으로 지지하고 나서라. 그리고 식탁 차리는 일은 당신이 맡겠다고 하자. 그가 요리하는 동안 당신처럼 스타일리쉬한 테이블 세팅을 한다. 종이 접시 두 개와 종이컵 두 개, 그리고 종이 타월 두어 개만 준비하면 끝이다.

남자를 부엌일에 동참시키는 것은 아무리 일찍 시작해도 빠르지 않다. 남자가 당신 집을 처음 방문했을 때 교육을 시켜두자.

"컵은 여기에, 그릇은 여기에 있어. 마실 건 저쪽에. 당신 집처럼 생각하고 필요한 게 있으면 얼마든지 이용해."

그러면서 자연스럽게 이런 말을 덧붙일 수 있다.

"한 가지 부탁이 있어. 내가 설거지 쌓이는 꼴은 절대 못 보거든. 그러니까 그릇은 사용하는 즉시 세척기에 넣어줘."

이로써 당신은 결코 그의 웨이트리스 노릇을 하지 않을 것임을 은근히 주입할 수 있다.

그를 위해 '행복한 가정부'가 되려고 애쓰지 마라. 당신이 하녀 역할을 자청할 때 그는 당신의 노력을 가치 있게 여기지 않는다. 그러나 만약 그가 변함없이 친절을 베풀고, 당신이 그에 대한 보답으로 시중을 들어준다면 그는 다 특별하게 받아들일 것이다.

정해진 순서를 바꾼다는 것은 저녁 일정을 바꾸거나, 때로는 만남의 횟수나 날짜를 바꾸는 것이다.

관계의 패턴이 형성될 때 여자가 주도면밀하게 나서지 않으면 어떻게 되는지를 보여주는 전형적인 예가 아니타의 경우다. 아니타는 만년 대기조의 패턴이 형성된 과정을 이렇게 설명했다.

"일주일에 너덧 번 데이브를 만났어요. 수업이 끝나는 오후 4시쯤에 그가 휴대폰으로 전화하면 우리는 약속을 정했죠. 그런데 그가 전화하는 시간이 점점 늦어지기 시작하더라고요. 어떤 날은 우리가 만날지 안 만날지 몰라 오후 내내 바늘방석에 앉아 있는 기분이었어요. 그를 기다리는 동안 난 많은 걸 포기해야 했죠."

아니타 같은 여자들은 기꺼이 기다리려 한다는 이유만으로 결국 만년 '대기조'가 되고 만다. 일단 당신이 기다린다는 사실을 그가 알게 되면, 그는 영원히 당신을 기다리게 할 것이다. 이때야말로 판을 바꿔야 한다.

아니타의 경우, 해결책은 간단하다. 아무 때나 만나지 말고 최소한 하루 전에 미리 약속을 정해야 한다. 그저 "몇 시쯤에 만날 수 있을 거 같아?"라고 묻기만 하면 된다. 데이브가 "내일 일 끝나면 전화할게"라고 대답할지 모른다. 이럴 때 가만히 있으면 안 된다. "글쎄, 내일 전화를 못 받을지도 몰라. 만약을 대비해서 지금 시간을 정해두자."라고 대답해야 한다. 만약 그가 계속 나중에 전화하겠다고 우기면 휴대폰이 잘 터지지 않는다거나, 일할 때 사적인 통화는 할 수 없다고 잘라 말해야 한다.

가끔씩 남자들은 친구 핑계를 댄다.

"내일 밤엔 친구가 집에 올 거 같아. 꽤 오랜만에 만나는 친구라 언제까지 있을지 모르겠어. 야박하게 쫓아낼 수는 없잖아."

이럴 때는 그저 다음과 같이 대꾸해라.

"괜찮아. 내일 재밌게 보내."

그러고는 어떤 감정도 보이지 말고 그냥 다른 날 만나자고 말하는 것이다. 다시 말하지만, 남자는 여자의 무관심에 반응한다.

또 다른 대안은 그의 전화를 기다리는 대신, 그 시간을 활기차게 보내는 것이다. 바로 그 시간 동안 헬스클럽에 가서 운동을 하거나 중요한 다른 일을 할 수도 있다. 바쁜 스케줄에 시달리는 대부분의 직장여성이나 주부, 학생들은 하루 중 자기만의 시간을 두 시간도 채 갖지 못한다. 그런데 당신은 꼼짝도 하지 않고 전화가 오기만을 기다리며 낭비할 것인가?

틀에 박힌 절차를 바꾼다는 것은 변화를 준다는 뜻이기도 하다. 하루에 두 번씩 전화하는데 그가 별로 반가워하지 않는다면 통화 횟수를 줄이고, 좀더 들쑥날쑥 전화하라. 보통 주말에 많이 만났다면 이번 주는 주중에 보자고 말해본다.

행복한 결혼생활을 하고 있는 마거릿의 비법을 들어보자.

"남편이 조금이라도 거리를 두려는 게 느껴질 때마다 주말에 친정이나 친구 집으로 여행을 떠나요. 남편에게는 목요일에 말하죠. 내일 떠났다가 일요일 늦게 돌아올 거라고요. 여행 중에는 한 번 정도 전화해서 잘 도착했다고 알려줘요. 내가 집에 돌아올 때쯤이면 남편은 백발백중 다시 평소의 자상하고 사랑스런 모습으로 돌아와 있죠."

다음 조언은 관계의 틀을 바꾸는 데 도움이 되는 것들이다.

- 그가 언제 퇴근하는지 알아보려고 늘 회사로 전화했다면, 가끔씩 그가 퇴근할 무렵에 집을 비워라.
- 당신이 매 순간 어디에 있는지 그에게 보고하지 마라.
- 그가 전화했을 때 언제나 부리나케 달려가 받지 마라.
- 그가 호출했을 때 30초 내에 연락하지 마라. 아니면 아예 전화하지 말고 그가 집으로 연락하게 만들어라.
- 그가 집으로 전화했을 때 꼭 받으려고 무리하지 마라. 음성메시지를 남기게 하라. 좀더 상대를 배려하고 싶다면 미리 그에게 집에 없을 거라고 말해라.
- 그의 전화에 목숨 건 사람처럼 전화기 옆에 앉아 기다리고 있다면 아예 코드를 뽑아버려라. 대신 책을 읽거나 비디오를 봐라.

자기 여자가 지금 어디에 있는지 모르는 순간, 남자는 그녀를 찾아 나선다. 남자에게는 자신의 영역에 집착하는 선천적 욕구가 있다. 이것은 '여자'에 대해서도 적용된다.

3단계 : 유머감각을 되찾아라

유머감각은 섹시한 매력이다. 남자의 코를 한 번씩 납작하게 눌러주거나, 남자가 너무 버릇없이 구는 것을 막는 최고의 명약이 바로 유머다. 당신은 그와 상관없이 재미있으면서도 유쾌한 방식으로 여자로서의 자신감을 유지한다는 걸 알릴 수 있다.

남녀관계에서 유머감각이 사라지는 때는 대체로 당신이 '날카로워질' 무렵이다. 다시 말해, 당신이 상대방의 행동 하나하나에 신경을 곤두세우고, 관계 속에서 얻지 못하는 것들 때문에 쉽게 화를 낼 때 당신의 유머감각은 제로가 된다.

남자들은 대놓고 말하지 않지만, 당신의 그 '성깔'이 사라지는 때를 눈치 챈다. 관계 초반에는 당신도 재치 있는 대답으로 그의 말에 더 많이 응수했다. 그러다가 긴장감이 사라지면서 유머감각도 함께 녹아버린다.

웃기 시작하면, 당신은 치유되기 시작한다

성공한 정치가들은 사람들의 마음을 얻고, 자신감을 보여주기 위해 유머감각을 이용하는 훈련을 받는다. 로널드 레이건이 대통령에 출마했을 때 한 토론회에서 출마자 가운데 가장 나이가 많다는 결점에 대해 어떻게 생각하느냐는 질문을 받았다. 그는 이렇게 대답했다.

"제 정치적 이득을 위해 상대 후보의 젊음과 미숙함을 이용하고 싶지는 않습니다."

유머감각이 있다는 것은 곧 독자적으로 생각할 줄 안다는 의미다. 당신은 스스로 생각할 수 있을 뿐 아니라 주변에서 일어나는 일들을 보며 웃을 수도 있다. 농담으로 받아치며 남자와 약간의 말싸움을 벌이는 여자가 매달리는 하녀로 보일 리 만무하다.

남자가 당신을 놀리는 것은 "아직도 그 성깔이 남아 있어?"라고 묻는 것과 같다. 당신의 유머감각은 이에 대한 대답이 되며, 또한 그가 늘 대장이 아님을 상기시켜주기도 한다.

내 친구는 어떤 남자와 데이트를 했는데, 그가 매니큐어 색깔을 흠잡자 이렇게 대답했다.

"건의 부서는 오늘 업무가 끝났는데요. 하지만 내일 당신 생각을 팩스로 보내주면 저기 있는 건의함 상자에 보관해둘게요." (그러면서 친구는 부엌의 쓰레기통을 가리켰다.)

그 남자는 지금 내 친구에게 푹 빠져 있다. 그리고 여전히 내 친구는 그 매니큐어를 칠하고 다닌다.

당신이 방어적으로 나오지 않고, 가끔씩 그냥 웃어넘기면 상대는 훨씬 더 당신을 존경한다. 예를 들어, 그가 당신의 주차 솜씨를 놀렸다고 해보자. 이런 식의 농담은 그에게 남자다움을 느끼게 해준다. 그럴 때 자기 자신을 보며 웃을 줄 아는 여자에게서 풍기는 여유로운 분위기는 남자를 매료시킨다. 그는 당신이 재미있고 유쾌한 여자라고 생각한다.

당신이 자루 같은 옷을 입고 있다 해도 상관없다. 자루를 뒤집어쓴 성깔 있는 여자가 검은 레이스 잠옷을 입고 남자에게 필사적으로 매달리는 여자보다 훨씬 매력적이다.

유머감각이 있다는 것은 단순히 웃기는 이야기를 들려주는 게 아니라, 그 사람의 침착한 면모까지 보여주는 것이다. 배꼽 빠지게 웃기는 개그맨이 되는 것 역시 효과적인 방법은 아니다. 지나치게 노력하고 있다는 인상을 줄 우려가 있기 때문이다.

남자를 긴장시키고 싶을 때마다 농담조로 대꾸하라. 만약 그가 약간 무례한 말을 했다면 "내가 왜 참고 있어야지?"라든가, "어디 더 해봐. 어디까지 가는지 한번 보자."라고 대꾸한다. 아니면 다리가 하나만 부러지고 싶은지, 두 개 몽땅 부러지고 싶은지 물어보라.

그는 당신이 어떻게 자기주장을 펼치는지 지켜본다. 누군가가 당신을 놀리거나 비난했을 때 당신의 반응을 지켜본다. 그리고 당신이 어떻게 응수할지 보고 싶기 때문에 미리 그 행보를 짐작하려 든다.

IO

남자와 세상을 모두 접수한 그녀들

여우의 의미를 재조명한다. 여우는 남자를 비롯한 다른 어떤 사람의 의견에도 전전긍긍하지 않으며, 오로지 자신의 기준에 따라 인생을 살아간다. 여우의 이런 성격은 남녀관계에서도 매우 강력한 파워로 작용한다.

"설사 당신의 마음이 얼음장처럼 차가울 때라도
언제나 그들에게 불덩이를 내줘라."

에델 머먼

여우는 쉽게 동요하지 않는다

'업그레이드된 여우'는 나쁜 의미가 아니다. 그녀는 예전의 낡은 선입견이 배제된 새로운 버전의 여우다. 그녀는 드세거나 치사하지 않으며, 원하는 것을 얻으려고 술수를 부리지도 않는다. 다만 그녀는 말이 아닌 행동으로 보여주며, 여우처럼 굴어야 할 때만 그렇게 행동한다. 여자가 여우의 경지에 올라섰음을 보여주는 가장 명백한 징후는 자신 외의 다른 누군가를 즐겁게 하는 일에 집착하지 않는 것이다.

'업그레이드된 여우'는 어떤 여자일까? 다음과 같이 정의할 수 있다.

> 여우 같은 여자(명사) 다른 누구의 의견에도 전전긍긍하지 않는 여자. 자신을 인정하지 않는 것도 그 사람의 의견으로만 받아들일 뿐, 별로 중요하게 생각하지 않는다. 그녀는 타인의 기준에 맞추려고 하지 않고, 오로지 자신의 기준에 따라 산다. 그런 성격 때문에 남자와 아주 색다른 관계를 맺는다.

여우는 자신을 보는 시각도 남다르다. 남자들은 당연하다는 듯 자신은 '헤비급', 여자는 자신과 적수가 안 되는 '페더급'이라 생각하지만, 여우는 기꺼이 링 위에 오른다. 다시 말해, 스스로가 '대등한 적수'라는 생각을 가지고 있다. 링 위에 올라가 한바탕 싸운 후에야 내려오는 자신만만한 여자는, 설사 졌다 해도 남자들의 존경을 받는다. 왜? 남자는 그녀가 신념을 가진 여자라는 사실을 깨닫기 때문이다.

여우는 또한 남자들이 이해할 수 있는 방식으로 행동한다. 그녀는 남자친구들끼리 이야기할 때 쓰는 언어로 애매하게 돌리지 않고 분명하게 말한다.

성인 남자 둘이서 오랫동안 대화를 나누다가 "넌 내게 상처를 줬어!"라고 말하며 끝장을 내는 경우는 거의 없다. 남자가 상대편 남자에게 감정적으로 말하는 것은 "너 진짜 열 받게 한다" 정도다. 설사 한 친구가 빌려간 돈을 갚지 않는다 해도 두 사람 사이에 감상적인 대화가 오가는 일은 절대 없다. 대화는 짧고 간단하게 "엿 먹어라, 이 나쁜 자식아!"로 끝나고, 두 사람의 관계도 거기서 끝이다.

남자는 사실을 있는 그대로 말하는 여우의 대화 방식을 존중한다. 그는 화내는 여자가 감상적인 여자보다 훨씬 자기 통제력이

착해빠진 여자 = 의존적인 여자 → 존경이 사라짐	여우 같은 여자 = 주체적인 여자 → 존경심이 증가함
그녀는 원하는 것을 얻기 위해 정기적으로 남자에게 감언이설을 한다. 원하는 것을 얻지 못하면 울거나 화내거나 토라진다.	그녀는 돌려서 말하거나 포장하지 않는다. 그가 자신을 대할 때 해도 되는 일과, 해선 안 되는 일을 짚어서 얘기한다.
그녀는 남자의 죄책감을 이용하거나 자기 안에 있는 '아이'에 대해 이야기한다. 그녀는 어린아이 같은 기질의 소유자다.	그녀는 성숙한 여성으로서 '어린아이 같은' 구석이 전혀 없으며, 현실적인 철학을 가지고 있다.
그가 어떤 식으로든 상처를 주면, 그녀는 운다. 그리고 다시는 그러지 않겠다는 약속을 받아낸다.	그녀는 준비가 되었을 때만 주도권을 쥐고 대화에 임한다. 그리고 두 번 다시 그런 일을 묵인하지 않을 것임을 분명히 해둔다.
그가 못된 행동을 했을 때 "그럴 의도가 아니었을 것"이라며 스스로를 위로한다.	그녀는 자신이 무시당한다는 것을 알아채면, 조금도 주저하지 않고 그를 비난한다.
그녀는 남자를 즐겁게 하기 위해 원치 않는 일도 억지로 한다. 그리고 행복한 표정을 지으며 자신도 좋아하는 척한다.	그녀는 원하지 않는 일은 절대 하지 않으며, 망설임 없이 그에게 그 사실을 말한다. 그녀는 그와 대등한 입장에서 만난다.

강하다고 생각한다. 여자가 감정적으로 나오면 나약하거나, 생리 때문에 호르몬에 이상이 생긴 것이라고 합리화한다. 그러나 그의 눈에 비친 여우 같은 여자는 원하는 것과 원치 않는 것을 확실히 알고 있다. 그녀에게는 '강단'이 있다.

여자가 누릴 수 있는 최고의 명예이자 영광은 '당당한 여우'라고 불리는 것이다. 그것은 성공했다는 증거이며, 남자가 끊이지 않고 쫓아다니는 여자임을 나타낸다. 다른 건 제쳐두고라도, 남자는 지금까지 그 여자에게 투자한 게 아깝다는 아주 현실적인 이유 때문에 그녀를 놓치고 싶지 않다. 그리고 여전히 그녀를 차지하려고 노력한다.

여우는 완전정복이 불가능하다

그렇다면 왜 남자들은 여우 같은 여자를 좋아할까? 남자들은 절대 그녀를 완전히 정복했다고 느끼지 못하기 때문에 계속 노력한다. 평생 노력하다 죽는 남자도 있다. 반면에 남자를 위해 온갖 재주를 부리는 여자는 푸대접을 자초한다 해도 과언이 아니다.

내 친구 샬롯은 톰과 사귀면서 끊임없이 그의 비위를 맞췄다. 그러자 톰의 관심이 시들기 시작했다. 샬롯은 해변에서 파티를 열어주면 그의 마음을 되돌릴 수 있을 거라고 생각하고, 성대한 파티를 열어 그의 친구들을 모두 초대했다. 거기다 하늘에 글씨 쓰는 이벤트를 위해 3000달러나 지불하기로 마음먹었다. 비행기 두 대가 커다랗게 하늘에 하트를 그린 후, '언제나 당신을 사랑해' 라는 글씨를 쓰는 이벤트였다. 비행기가 상공에 도착해 그 정교한 작업을 하기까지 거의 30분이 걸렸다. 글씨 쓰기가 끝나자 다들 감탄해 마지않았다. 그걸 본 사람들은 누구나 감동적인 장관이라고 생각했다. 톰만 제외하고(불행히도 그는 파티가 열리기 한 시간 전에 전화로 사정이 생겨 못 온다고 알려왔다). 그땐 이미 샬롯이 지불한 엄청난 돈을 돌려받기엔 너무 늦었다.

샬롯과 같은 경우는 비일비재하다. 착해빠진 여자들이 남자에게 잘 보이려고 온갖 재주를 부릴 때 바로 이런 일이 일어난다.

착해빠진 여자들이 이성을 잃는 동안, 여우들은 반대로 남자의 이성을 잃게 만든다. 여자가 분별력 있게 행동할 때 남자들은 한층 더 그녀에게 매료된다. 그는 자나 깨나 그녀를 생각하고, 아무리 자주 만나도 그녀가 보고 싶어진다. 결국 그녀 없이는 살 수 없다는 결론을 내린다.

남자와 여자의 근본적인 차이점은 여자는 안정과 예측 가능한 상태를 원하지만, 남자는 흥분과 위험, 예측 불가능한 상태를 즐긴다는 것이다.

어렸을 때 바비인형과 바비의 남자친구 켄을 가지고 놀았던 여자아이들은 자기도 바비인형처럼 '영원히 행복하게' 살 거라는 환상을 품은 채 어른이 된다. 그러나 사내아이들은 켄 인형 따위는 거들떠보지도 않고, 배트맨이나 슈퍼맨, 스파이더맨처럼 위험천만하고 흥미진진한 캐릭터에 빠져든다.

남자아이들이 열광하는 것들은 생각해보라. 총, 탄약, 스포츠카드, SF 잡지, 주머니칼, '충전 가능한' 손전등, 그리고 그 무엇과도 바꿀 수 없는 병정인형 컬렉션과 빠른 자동차…….

어떤 엄마든 붙잡고 딸과 아들 가운데 어느 쪽이 더 말썽꾸러기인지 물어보면, 대부분의 엄마들이 사내아이라고 대답한다. 왜? 남자들에게 안전함은 지루함과 동의어이기 때문이다. 그들은 흥미와 위험을 배가시킬 방법들을 찾아내고, 위험한 것들을 열심히 쫓아다닌다. 바로 이런 위험천만의 요소가 남자로 하여금 여우같은 여자에게 끌리게 만드는 것이다.

지나친 솔직함은 나약함의 증거로 평가될 수 있다

착해빠진 여자들은 남자로 하여금 '안전하다' 고 느끼게 하는 실수를 저지른다. 남자들은 쉽게 지루해하며, 뻔하고 안전한 관계를 단조롭게 느낀다. 자극과 위험, 혹은 도전을 바라는 남자의 마음을 무시하는 것은 호랑이에게 쫓기던 타조가 모래 속에 머리를 파묻는 것과 같다.

여우는 정면으로 접근하는 반면, 착해빠진 여자는 타조처럼 머리를 묻은 채 접근한다. 여우는 실제로 앞에 무엇이 있는지 직시하지만, 착해빠진 여자는 자신이 보고 싶은 것만 본다.

착해빠진 여자들은 데이트를 시작한 지 단 한 달 만에 남자에게 발 마사지를 해주고, 그를 위해 여섯 가지 재료를 넣은 달걀 요리와 팬케이크를 준비한다. 그런 다음 그의 집으로 달려가 빨래를 하고, 셔츠를 다린다. 또 그에게 시를 읽어주고, 하루 종일 서로 부둥켜안은 채 있고 싶어한다. 그러다가 남자에게 차이고 나면 이렇게 말한다.

"내가 그렇게 잘해줬는데 어떻게 이럴 수가 있어!"

많은 여자들은 남자들이 고분고분한 여자를 좋아할 거라고 생각한다. 이론상으로는 그렇지만, 실전에서는 그런 여자가 나타남과 동시에 싫증이 나버린다. 자신이 무슨 짓을 해도 여자가 다 받아줄 것이라고 생각하는 순간, 그의 열정은 막을 내린다.

진실한 사랑을 위해 여자가 모든 것을 솔직히 털어놓아야 한다는 생각도 바람직하지 않다. 그것은 어리석은 타조가 되는 길이다. 한없이 고분고분한 여자를 보며 그는 속으로 이렇게 생각한다. '오, 이런, 진드기잖아. 앞으로 영원히 이 진드기를 붙이고 다녀야 하는 건가?' 일단 이 사실을 깨달으면 남자는 전화 횟수를 줄이거나 아니면 아예 전화하지 않는다. 물론 그녀와 섹스한 후에 말이다.

남자에게 지나치게 매달리고 집착할 때, 착해빠진 여자들은 객관적인 그의 모습보다 훨씬 더 그를 높이 평가한다. 이럴 때 남자는 너무 불편하다. 자신이 '고결한 왕자님' 이 아니라는 사실을 누구보다도 잘 알고 있기 때문이다. 그는 그녀의 눈에 비친 환상에 자신을 맞추기 위해 억지 노력을 기울이다가, 이내 그녀 역시 가식적인 모습을 보이는 건 아닌지 의심하기 시작한다.

'흐음, 정말 어떤 여자인지 궁금하군. 이렇게 착할 리가 없잖아.'

그러면 그는 대출 이자율이 낮은 신용카드처럼 처음 딱 한 달간만 좋아하다가 '싼 게 비지떡' 이라는 말을 생각해낸다.

여우의 경우에는 모든 것이 솔직하고 거침없다. 상대가 '유인작전' 을 쓰는지 아닌지 걱정할 필요도 없다. 그는 한두 번 허풍을 쳐보지만, 그녀는 번번이 그의 콧대를 눌러버린다. 그러면 두 가지 일이 벌어진다. 첫째, 그는 '이 여자는 바보가 아니군. 내 허풍이 안 먹히겠어.' 라고 생각한다.

둘째, 그는 그녀의 '최악' 을 봤으므로 그녀가 뒤통수 칠 일은 없다고 생각한다. 여우와 함께 있을 때 그는 가끔 화가 나지만 그녀와 나누는 게 진짜 사랑이라고 믿는다.

여우는 내면의 특질로 정의된다

에디 머피는 한 인터뷰에서 이런 말을 한 적이 있다.

"지금까지 내가 들었던 최고의 충고는 다른 누구의 충고도 듣지 말라는 겁니다."

당신의 인생을 통제할 수 있는 운전석에는 그 누구도 아닌 바로 당신이 앉아야 한다. 그렇다고 다른 사람의 의견은 완전히 무시하라는 말은 아니다. 단지 운전대를 당신이 쥐고, 목적지도 당신만이 선택할 수 있다는 것이다.

이런 태도는 남자에게 독립적으로 보이는지 아닌지에도 직접적인 영향을 미친다. 당신이 독립적으로 사고하는 것을 포기하고 그에게 의지하는 순간, 곧바로 운전석에서 튕겨 나와 '하녀석'에 착지하게 된다.

옷을 입는 취향이든, 관계 내에서 당신의 요구사항이든, 생계를 유지하기 위해 당신이 선택하는 직업이든 간에 절대 다른 사람에게 결정권을 넘겨선 안 된다.

독자적인 사고를 하게 되면 첫째, 당신은 긍정적인 사람과 사건들을 자석처럼 끌어당기게 된다. 둘째, 그것은 당신이 목표를 이루지 못하도록 방해하려는 부정적인 사람들을 쫓아버리는 역할을 한다. 당신이 틈만 보이면 당신의 정원에 부정적인 씨앗을 뿌리려는 사람은 늘 있게 마련이다.

자신을 방어하기 위해 항상 말다툼을 할 필요는 없다. 때론 부정적인 사람에게 에너지를 낭비하지 않는 것만으로도 충분하다.

강한 사람은 자신을 존중해달라고 구차하게 설명하지 않는다

이는 자긍심이 강한 사람에게는 쉬운 일이지만, 보통 여자들에겐 매우 어렵다. 그녀는 신용불량자인 남자를 위해 서류에 서명하고, 그 남자의 직업을 확실히 알기도 전에 섹스를 한다.

친절함은 언제나 최상의 선택이다. 그러나 자격이 없는 사람에게는 친절하게 굴지 말아야 할 때도 있다. 그런 사람을 만났을 때는 상황을 바로잡든가 아니면 다시 만나지 마라.

여우 같은 여자는 부드럽고 여성적이면서도 외유내강의 품위를 갖고 있다. 그녀는 자신이 쉽게 조종당하지 않는다는 사실을 우아한 방식으로 사람들에게 알린다. 그녀는 또 서커스단 곰처럼 재주를 부리거나, 다른 사람이 자신의 자아를 정의하도록 놔두지도 않는다.

일본인 친구 마사에는 미국에서 살게 된 지 채 1년이 되지 않았을 때 스티븐이라는 미국 남자와 사귀었다. 그의 생일이 되자 마사에는 그에게 일본 음식을 대접하기로 했다. 그녀는 된장국을 끓이고, 여러 종류의 초밥을 만들고, 진짜 일본식 메인요리를 두 가지나 준비했다. 그녀의 행동은 나무랄 데 없었다. 그런데 스티븐은 고작 된장국이 너무 짜다고 불평했다. "다음번엔 초록색 봉지에 든 걸 사요. 그게 염분이 적으니까."

마사에는 그의 태도에 충격을 받았지만 평정을 유지했다. 그리고 서툰 영어로 또박또박 말했다. "나 당신을 위해 요리했어요. 하지만 당신이 불평한다면? 앞으로는 하지 않을 거예요."

그후 스티브는 그녀에게 칭찬만 했다.

엘리너 루스벨트가 말했듯이 "아무도 당신 허락 없이는 당신에게 열등감을 느끼게 할 수 없다." 긍정적인 사람은 늘 긍정적인 말만 한다. 그런 사람과 함께 있으면 마치 당신의 배터리까지도 충전되는 기분이 든다. 정말 위대한 사람은 옆에 있는 당신까지도 위대한 사람이라는 기분을 들게 한다. 이것이야말로 우리가 원하는 관계이며, 또한 유지할 가치가 있는 관계다.

독자적으로 사고하는 연습을 할수록 당신은 더욱 매력적으로 변해간다. 당신은 남자에게 '마법의 콩깍지'를 씌우고, 절대 빠져나오지 못할 주문을 걸게 된다. 아침이면 당신은 그 어느 때보다 행복하게 눈을 뜨고, 삶의 원동력도 서서히 되찾게 될 것이다.

남자들이 예쁜 여자한테 목맨다는 것은 미디어의 사기에 불과하다

각종 미디어는 여자들의 이런 노력에 전혀 도움이 되지 않는다. 오히려 획일적인 틀을 제공하며 여자들에게 그 틀에 맞추라고 부추긴다. '이 옷을 입어라. 섹시해 보일 것이다.' (채널을 돌려라), '이런 스타일의 옷을 입어야 한다.' (채널을 돌려라), '이 유기농 염색약을 쓰면 사람들의 이목을 끌 수 있다.' (채널을 돌려라)

그런데 정작 남자들은 매일 보던 것과 다른 것을 원한다. 금발이냐 빨강머리냐의 문제가 아니다. 남자는 독자적으로 사고할 줄 알고, 자기만의 스타일과 개성을 가진 여자를 원한다.

남녀관계에 관한 한 많은 남자들은 사자 조련사의 심정이 된다. 의자를 사용해 사자를 뒤로 물러나게 해야 할 것만 같다. "저리 가. 저리 가란 말이야." 따라서 자신 있게 주체적으로 행동하는 여자를 보면 전혀 다르게 느껴진다. 그들은 그런 여자에게 익숙하지 않으므로 매력을 느낀다.

여우 같은 여자는 남과 다르다는 걸 두려워하지 않는다. 그렇기 때문에 한밤중에 걸려오는 남자의 전화에 달려나가지 않으며, 기다란 진주목걸이 속의 똑같은 진주 한 알이 되기를 거부한다. 그녀는 남자가 아무 때나 불러낼 수 있는 여자가 아니며, 남자를 위해 무릎을 꿇고 춤을 추지도 않는다. 그녀는 서른이 되든, 마흔이 되든 나이와 상관없이 자신이 '보석'이라고 여긴다. 결혼을 했든, 미혼이든, 이혼을 했든 간에 그녀는 스스로에게 자부심을 갖는다.

단, 지나치게 터프한 엽기녀는 여기서 말하는 업그레이드된 여우와는 다르다. 여자가 너무 거칠거나 뭐라도 되는 것처럼 행동하면 정작 얻을 수 있는 것은 별로 없다. 터프녀와 달리 업그레이드된 여우는 친절하다. 다만 상대에게도 똑같은 친절을 요구할 뿐이다.

여우는 강한 의지와 신념을 가지고 있다

이 책의 내용에 관해 남자들과 인터뷰를 하려고 마음먹었을 때 그들이 어떤 반응을 보일지 솔직히 확신이 서지 않았다. "남자들은 절대 여우 같은 여자를 좋아하지 않아요!"라고 말하는 남자도 있지 않을까 생각했다. 그러나 결과는 정반대였다. 남자들의 90%는 여우에게 끌린다는 사실을 부인하지 않았다.

남자들은 자기 자신을 우선순위에 두는 여자를 존경한다. 여자가 독립적일 때, 그리고 늘 그녀를 행복하게 해주지 않아도 될 때, 그는 어깨 위의 짐이 가벼워지는 기분을 느낀다.

자신을 우선시하는 것은 어린 시절로 돌아가 숫자 세는 법을 다시 배우는 것과 같다. 산수 시간에 1은 언제나 2 앞에 왔다. 당신은 1이고 그는 2다! 그런데 지금까지 당신은 1은 건너뛴 채 2부터 세는 실수를 저질러왔다. 자신이 중요한 사람이라고 느끼지 못했기 때문이다.

인생은 초등학교 생활의 연장선이다. 불량 학생이 나를 때리고 용돈을 훔쳐서 달아나면, 다음번에 또 얻어맞지 않기 위해서 녀석과 싸워 돈을 찾아와야 한다(그 녀석이 이 일로 용케 벌을 받지 않을 경우를 대비해 흠씬 두들겨 패야 한다).

업그레이드된 여우는 이 법칙이 성인이 된 지금도 적용된다는 걸 알고 있다. 사람들은 거의 매일 당신에게 초등학교 시절의 불량학생처럼 태클을 가할 것이다. 동업자든, 가족이든, 친구든, 심지어는 연인이든 간에 모두 당신을 때리고 달아나려 한다. 유일한 차이점은 의식적이든 아니든 그들이 당신의 용돈이 아닌 자신감을 훔치려 한다는 것이다.

자기 자신을 믿는 문제라면 목표를 똑바로 응시하고 눈도 깜박이지 마라. 당신에게 목표, 꿈, 야망이 있다면 목적지를 향해 나아가는 동안 자신을 믿어라. 그러다 보면 어느새 그곳에 도착해 있을 것이다.

평생 동안 사람들은 당신의 신념을 흔들어놓으려고 기회를 엿본다. 만약 그런 일이 생긴다면 그들이 아무리 노력해도 당신 허락 없이는 절대 성공할 수 없다는 사실을 상기하라. 인생이란 길을 걸어갈 때는 늘 머리를 꼿꼿이 세워라. 어느 누구에게도 당신의 신념을 흔들도록 허락하지 마라. 왜냐하면 그것만이 우리의 유일한 재산이기 때문이다.

지은이 **셰리 아곱** Sherry Argov

희극배우이자 칼럼니스트로서 〈뉴욕 데일리뉴스〉 〈퍼블리셔스 위클리〉 등에서 명성을 쌓았다. 현재 〈코스모폴리탄〉에 칼럼을 연재하는 한편, 캘리포니아 주 40개 도시에서 방송되는 라디오 프로그램 〈데이팅 딜레마〉의 진행자로도 활약 중이다. 〈데이팅 딜레마〉에서는 남자들이 독립적이고 강한 여자에게 끌리는 이유를 재치 있게 풀어나가고 있다.
저자는 첫 책인 《남자들은 왜 여우 같은 여자를 좋아할까?》에서 여우 같은 여자가 착해빠진 여자보다 더 희망적일 수밖에 없는 이유를 풍부한 사례를 들어 설명하고 있다.

옮긴이 **노진선**

숙명여자대학교 영문학과를 졸업했다. 잡지사에서 근무하다가 현재 전문번역가로 활동 중이다. 역서로는 《일하는 여자들의 손자병법》《자꾸만 똑똑해지는 여자 자꾸만 바보가 되어가는 여자》《일터로 간 화성 남자, 금성 여자》《사랑을 실천하는 영혼을 위한 닭고기수프》 등이 있다.

남자들은 왜 여우 같은 여자를 좋아할까?

1판 1쇄 발행/2004년 11월 5일 | 1판 18쇄 발행/2006년 2월 15일 | 지은이/셰리 아곱 | 옮긴이/노진선 | 펴낸이/안소연 | 펴낸곳/명진출판(주) | 스태프 · 종합기획실/박선영, 최은정, 류영훈 | 편집팀/황선영, 김수현 | 디자인실/강희철, 김미정, 이선미 | 경영지원팀/김선영, 홍화숙 | 홍보팀/한동숙 | 마케팅디렉터/한상만 | 마케팅실/김현관, 조정현 | 인쇄/현문인쇄 | 제본/자현제책 | 종이/화인페이퍼 | 출판등록/1980년 2월 27일 제3-31호 | 주소/121- 869 서울시 마포구 연남동 566-44번지 | 전화/(02)326-0026(代) | 팩스/(02)326-0994 | ISBN 89-7677-190-7 03840 | 책값은 뒤표지에 있습니다. 파본은 바꾸어 드립니다. | 명진출판(주)는 독자 여러분의 의견을 소중하게 생각합니다. | E-mail: myunggin@chol.com